JN269934

「それ、根拠あるの?」と言わせない

データ・統計分析ができる本

柏木 吉基
KASHIWAGI YOSHIKI

日本実業出版社

はじめに

「数字に強いビジネスパーソンになろう」

　様々なところで言い尽くされてきた言葉です。
　誰もが頭ではわかっているものの、実際に日々、仕事をしている自分に結び付けるのは難しい。そう感じている人は多いのではないでしょうか。
　数字は、何かしらの手を加えてはじめて、見えなかった情報が得られます。この「数字への手の加え方」が、「統計」や「データ分析」です。
　データはあるにもかかわらず、この「手の加え方」がわからないために、貴重な情報を見逃しているケースが実際にはたくさんあります。

　ではもし、ちょっとしたコツとノウハウで、数字を扱うことのハードルが下がり、統計やデータ分析などの数字をもっと有効に使えるようになれるとしたら素晴らしいですよね。
　でも、世の中に多く出回っている統計本や分析手法を解説した本を読んではみたものの、挫折したり活かしきれなかったりした経験を持つ人も少なくないでしょう。

　一口に「統計」や「データ分析」といっても、そのカバーする手法の範囲は様々で、広く捉えれば本当にキリがありません。
　しかし、まず知っておいていただきたいのは、一部の専門的な職種を除いて、一般的なビジネスの現場でビジネスパーソンが日常的に活用している手法は限られているということです。
　であれば、まずは使いやすいものに絞り、それらを効果的に使う方法や考え方を身に付けるほうが、ずっと「お得」で「かしこい」ということを徐々に確信するようになりました。

このような考え方から、本書では、だれでも知っている「平均」から、「単回帰分析」と呼ばれる手法までを扱います。いずれも、Microsoft Excel を使えば、ほとんど瞬時に分析結果を得られるものばかりです。

　また、本書は次のことを狙いとしています。
（１）データを目の前にして、一歩踏み出すためのソリューション
（２）「分析結果が出た後」の効果的な使い方
（３）分析をつなげて説得力のあるストーリーを作る

　本書は、全体を通じて「事業計画書を作成する」という一事例に沿ってデータの効果的な扱い方を紹介します。ただし、事業計画書の作り方そのものの指南書ではないことを予めご承知おきください。
　本書を「数字に強いビジネスパーソン」になるための第一歩として活用いただければ幸いです。

　　　2013 年 4 月　　　　　　　　　　　　　　　　　　　柏木　吉基

「それ、根拠あるの？」と言わせない
データ・統計分析ができる本

Contents

はじめに

序章

データ・統計分析のための発想とコツ

「数字」、「データ」ってどう使えばいいの？ ── 008
そもそも、「数字」はどう使えばよいのか！？
分析手法より、まず「思考パターン」── 010
課題と分析をつなぐ「仮説アプローチ」── 012
仮説が必要な3つの理由 ── 015
仮説を効果的に分析につなげるための4つのポイント ── 019
仮説を検証するための「ピラミッドストラクチャ」── 021
コラム 網羅的アプローチの使い方 ── 026

第1章

そんな都合のいいデータ、どこにもないんですけど……
効果的なデータ分析のための集め方と分析の視点

やみくもにデータを集めても分析はできない！── 028
仮説の答えになるデータを探そう ── 030
データ収集のポイント① 仮説の一歩外までデータを集める ── 032
データ収集のポイント② データの"軸"に着目する ── 034
データ収集のポイント③ 目的に合った「データの範囲」を意識する ── 038
データ収集のポイント④ 「外れ値」は理由を考えて処理する
ドラッグストアーの売上額はなぜ、こんなに変わったのか ── 041

これが現実!? データが集まらないときの「データの増やし方」—— 043
コラム 相対的なグラフのトリックに注意！—— 051

第2章
利益を出すために必要なことは？
規模と、平均・中央値の話

市場の大きさを「エイヤッ」とつかもう！—— 054
市場規模はどれだけか 「平均」で代表的な値を決める —— 056
平均は本当に「データ全体」を代表する値なのか？
「平均」の落とし穴 —— 061
「中央値」は、ポジショニングを知るヒントになる！—— 065
平均で計画の「初期判断」を行なう
予算必達のために何台売らなければならないか —— 068
コラム 公開されているデータを使うときの注意点 —— 072

第3章
リスクをどう見積もるのか
標準偏差とヒストグラム

予想通りにいかない"リスク"を示す —— 074
標準偏差で、リスクをあぶり出せ
「本当に計画通りにいくの？」の疑問に応えるために —— 076
標準偏差を Excel で求める（STDEV 関数）—— 081
標準偏差をビジネスで使うには　相対比較や標準化で比較する —— 082
バラつきをリスクとして評価する —— 088
「ヒストグラム」でバラつきを視覚化する
データの全体像を把握するために —— 091
Excel でヒストグラムを作る —— 096
計画の下振れ、上振れのリスク（大きさや頻度）から、
事業のリスクを示す —— 099

Excel でリスクの確率をつかむ ── 102

仕事で生かせる「標準偏差」の使い方 ── 105

コラム データが母集団そのもののときに使える「STDEVP 関数」── 108

第4章

何が成功要因なのか
データで将来を見通す「相関分析」

過去のデータで将来の"手"を考える ── 110

最も効果の高い販促策を探せ
相関で、データに"意味"を与える ── 112

相関の強さを示す「相関係数」── 117

相関係数を Excel で求める（CORREL 関数）── 119

相関係数がどのくらいなら、「相関関係がある」のか ── 121

相関を使って成功要因を特定する
最も効果的な販促策はどれか？ ── 125

相関を扱うときの注意点 ── 130

TV コマーシャルとディスカウント・チケット
どちらがどれくらい売上増に貢献するのか ── 145

コラム 3種類以上のデータの相関係数を同時に求めるには ── 146

第5章

目標達成に必要な予算はいくらか？
企画の計画性・収益性をつかむ「単回帰分析」

計画達成のためにいくら必要か？ ── 150

「ガッツ」プランでなく、
計画を客観的にサポートする「単回帰分析」── 152

「回帰式」で2つのデータの関係を示す ── 155

Excel で「単回帰分析」をしてみよう ── 160

「企画の計画・収益性」を知る
どちらが、どのくらい、より効果的なのか —— 162

もっと回帰分析を使いこなすために①
「傾き」から効果や効率を見る　いくら出すといくら儲かる？ —— 166

もっと回帰分析を使いこなすために②
要因によらない結果を見極める　何もしなくても得られた結果は？ —— 168

もっと回帰分析を使いこなすために③
分解して、より深い事実を見つける　開店時間をどうするか —— 169

もっと回帰分析を使いこなすために④
組織計画やKPI決定ツールとして使う —— 173

コラム　単回帰分析と重回帰分析 —— 177

第6章

効果的なデータの見せ方・伝え方
メッセージをもって「数字」を伝える

ただ、「データ」を見せるだけでは伝わりません！ —— 180
"分析すること"と"伝えること"は違う —— 182
わかりやすくメッセージを伝えるために —— 185
数値だけでなく、視覚的に訴える！ —— 191
比較してメッセージを強調する —— 195
最後にもう一度"仮説"に立ち返る —— 197
コラム　パレート図で情報量を絞ろう —— 198

エピローグ —— 201
おわりに

カバーデザイン／吉村朋子
カバーイラスト／神林美生・吉村朋子
本文DTP・イラスト／ムーブ（新田由起子）

序章

データ・統計分析のための発想とコツ

「数字」、「データ」って どう使えばいいの？

　厳しい就職戦線を勝ち抜いて、大手総合商社に入社したＡ君。入社から２年経ち、「新人」の扱いをそろそろ卒業したいと思っています。
　しかし、入社以来Ａ君が担当してきたサイクロン式掃除機は、一時のブームが去り、国内の売上落ち込みに歯止めがかかりません。業績回復の切り札として、メーカーと一緒にアジア新興国への新規参入を検討することになりました。

上司　「１か月後に控えた海外営業本部長への提案に向けて、アジア新興国市場への参入計画を作ってもらいたいんだ。ここ数年急成長して注目を浴びているＢ国が最有力候補だと思っている。役員が納得して『うん』と言う事業計画を作るのが我々に課せられたゴールだ。まずはラフでよいから明後日までに素案を考えて持ってきてくれ。経営判断をする役員に提案するんだから、データを使った分析も入れて、しっかりしたものを頼んだぞ」

　これまで海外とは無縁だったＡ君も、自分が海外向けの事業計画を担当することとなり、プレッシャーを感じながらも、商社ならではの仕事にワクワク感が芽生えてきました。

Ａ君　「さあ、まずは情報収集だ。えっと……」

職場にある日本市場での実績や、海外の家電市場の規模データなどをネット上でかき集めました。気が付けば窓の外は夜景に変わっています。プリントアウトされた情報の山を前に、A君は途方に暮れました。
「さて、どうしよう。この情報を切り貼りすれば形になるのかな……」

　翌日、集めたデータから、なんとなく関連しそうな記事や数字を集めて並べてみたものの、それぞれのつながりは曖昧で、まるで学生のカベ新聞のよう。愕然としたA君。残された時間はわずかです。A君は、本格的に焦りを感じている自分に気付きました。
「数字を使って計画を作るって、何をどう作れば『提案』になるんだ？？」
　焦れば焦るほど、何をすればよいのか自分でもわからなくなり、時間だけが過ぎていきます。A君は、上司にアドバイスを求めることを決めました。

A君　「色々情報を集めたのですが、次の一手がわからなくて……」
上司　「その情報って、何を言おうとして集めたの？」
A君　「いや、集めてから何が言えるか考えてみようと思ってました」
上司　「それじゃあいくら時間があっても足りないし、軸がブレない提案なんて永遠にできないよ。自分は何を言いたくて、そのためにはどんな情報が必要なのか、最初に考えてみたかな？　A君のアプローチは発想が全く逆だよ」
上司　「A君、『仮説思考』って聞いたことがあるかな？」
A君　「仮説思考？？？」
上司　「まずは最終的な目的を言葉ではっきりさせることから始めてごらん。そして、目的に沿った仮説を、データを使って客観的に確認していくんだ」

そもそも、「数字」はどう使えばよいのか！？
分析手法より、まず「思考パターン」

データ分析が「できる人」とは？

　データ分析が「できる人」と「できない人」の違いは、一体何なのでしょうか。分析手法の知識を深めれば、果たしてエキスパートとしてガンガン分析をして結果を出せるようになるのでしょうか。

　もちろん、私も複数の分析手法についての知識はそれなりに持ってはいます。でも、その知識や使える手法の数の多さそのものが、自分の実務のパフォーマンスに直結しているとは考えていません。むしろ、状況によって全く違う顔を見せる、様々な実務課題にデータ分析を応用できるのは、多くの経験から見い出した共通の**「数字センス（コツ）」**や**「思考パターン（考え方）」**が大事なのだと痛感しています。

　しかし、残念ながら、分析手法を習得し、その応用事例のいくつかをバーチャルに知ったからといって、明日からサクサクと目の前の課題に使えるということにはならないのです。

　でも安心してください。だからといって、いたずらに場数を踏むことだけがソリューションということでもありません。

　分析のパターンやセンスを詳細に見れば、個別の課題やケースによって違いはあります。でも、様々な課題を解決するために共通する、基本的な考え方も存在します。その共通部分をしっかり身に付ければ、「目の前の課題」と「分析手法を使う」ことのギャップを縮めることができるのです。

受け手側への説得力はあるのか？

　実は、分析の専門家を除き、一般的にビジネスパーソンが"有効に"使える分析手法はさほど多くありません。複雑な分析になればなるほど、精度は上がるものの、広い課題に応用できる汎用性は狭まり、分析にかかる時間と必要とされる知識のレベルも格段に上昇します。実際に、私が複数メーカーの管理職約60名に対して、日常的に使う統計手法の範囲についてアンケートを取ったところ、**本書の範囲である「単回帰分析」までで十分カバーされていました。**

　それに、苦労して複雑な分析手法を使っても、その結果を見せられる側としては、分析の中身が理解できません。「なんで、その数字がそうなるわけ？」と疑問が生まれ、総合的な説得力をかえって低下させてしまうのです。つまり、実務で使う分析は、常に「受け手」が存在するため、「受け手」側への説得力を意識できているか否かが、大事なのです。

　闇雲に分析手法をたくさん習得することを初めから目指すのではなく、「本当に有効な分析手段に範囲をフォーカスし、分析に必要な思考パターンをしっかり身に付けること」が、ビジネスで、分析を自分の武器にする最も現実的かつ近道であることが、ここから言えます。

図 0-1　使う手段と伝達力の関係

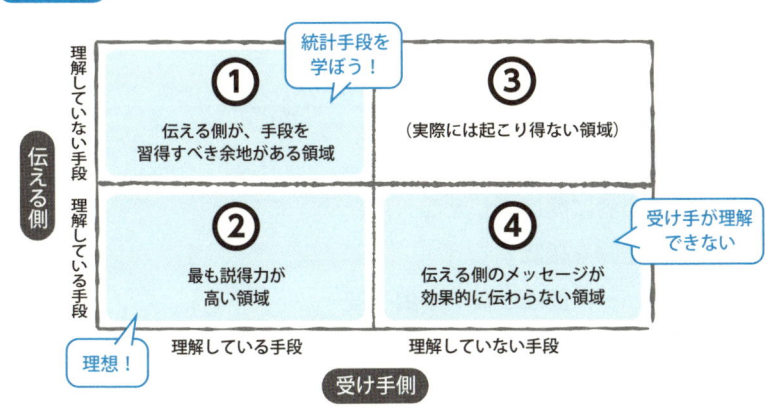

	理解している手段	理解していない手段
伝える側 理解していない手段	① 伝える側が、手段を習得すべき余地がある領域（統計手段を学ぼう！）	③（実際には起こり得ない領域）
伝える側 理解している手段	② 最も説得力が高い領域（理想！）	④ 伝える側のメッセージが効果的に伝わらない領域（受け手が理解できない）

（受け手側）

課題と分析をつなぐ「仮説アプローチ」

　本章では、その「思考パターン」の中でも、特にどのような課題にも共通で重要な"仮説"アプローチについて紹介します。
　"仮説"アプローチは、データ分析の場合でも非常に有効です。なぜなら、実現したい目的と、分析やデータなどの方法論をつなぐ大事な役目を果たしてくれるからです。このアプローチが頭にあるだけで、たくさんのデータや分析手法の間で右往左往したり、課題を前に何をしたらよいか途方に暮れてしまうような事態を減らすことができます。
　また、"仮説アプローチ"は、一般的な課題解決プロセスでも使われます。データ分析の世界でも、必要なデータや適切な分析手法を特定したり、目的から外れずに分析を進めるための強力な武器になります。

仮説アプローチは"当たりを付けること"から始める

　たとえば、「商品のデリバリーが遅い」というクレームが得意先から続いたとしましょう。そんなときは、当然、「なぜ遅くなっているのだろう?」と、まずは考えますよね。
　では、次にどのような行動を取るでしょうか?

- 商品発送担当者に問い合わせる
- 過去の配達記録を確認する
- 配達ドライバーに問題がないか調べる
- 特定の顧客(担当者)がクレームをあげていないか調べる

　などなど、いくつかの選択肢を考えるのではないでしょうか。

ここで、一度立ち止まって考えてみてください。

どうして、このような"選択肢"が浮かんできたのでしょうか。恐らく、過去の経験や勘、常識などから「ここに問題があるかもしれない」という考えが引き金になっているのだと思います。

この思い付きが「仮説」と呼ばれるものです。目的を達成するための「勘所」とか「当たり（を付ける）」と読み替えると、より身近に感じられるのではないでしょうか。

仮説を確認するのが「数字（データ）」の役割

ただ、"仮説"はある意味「思い付き」でもあるため、その妥当性を確認（検証）する必要があります。仮説には、何かしらの特徴があります。この例では「商品発送が遅い」とか「配達が遅い」などがその特徴です。この特徴を際立たせ、浮き上がらせることができれば、その仮説の是非を確かめられますよね。

このように何かしらの特徴を浮き上がらせるのに"もってこい"なのが、数字（データ）を使った分析です。たとえば、商品発送担当者に原因があるのではないかと思ったら、複数の商品発送担当者の処理数を比較する、現在の体制に問題があるのではないかと思ったら、過去の配達記録と比較して問題を特定する、など仮説に合ったアプローチが取れるわけです。分析により、客観的な判定ができるため、その仮説が「的外れ」であったり、「さらに調査が必要」だったり、「ドンピシャ！」であることが説得力をもってわかるのです。

このように、分析のゴールを明確にするためにも、まずは「仮説を持つこと」が、分析の最初の一歩を踏み出すときの重要なステップと言えます。「自分は×××をしたい/知りたい」という目的に直結した「仮説」が明確であれば、その確認のために必要な手段や情報が具体的になるからです。

まさに分析とは、この仮説アプローチの中では、

「仮説を確認（検証）すること」

にほかなりません。

もし、分析の最初の一手がなかなか出ない状況に陥ったときには、再度冷静に、そもそもこの「自分は×××をしたい／知りたい」という目的が明確に意識されているかどうか確認してみてください。なんとなくわかっているつもりだったり、あっちこっちに振れていることが、うまくいかない原因である可能性もあります。

目的と手段をつなげる

もう少し具体的に見てみましょう。

たとえば、先月の売上データ 3,000 件分があるとします。

なんの目的や仮説もなしに、3,000 件分の平均売上高を計算したところで意味がありません。

平均を取るのであれば、通常その前に「販売が好調だった先月の要因を知るため、先月の値引き状況を大まかにつかみたい」といった"目的"があるはずです。

その目的を果たすために、「昨年度や前々月と売上高を比較することで、値引きの傾向が見られるだろう」という"仮説"を持ちます。すると必然的に、「大まかに売上額の大きさの比較をするためには、過去と今月の平均値を算出しよう」という分析（手段）を思い付きます。こうして、"目的"と"手段"がロジカルにつながるわけです。

　　『目的』　⇒　『仮説』　⇒　『手段』

という流れを常に頭の中で意識することで、どの手段を使えばよいか迷って、いきなりフリーズしてしまったり、作業の途中で目的を見失うようなことを防げるのです。

仮説が必要な3つの理由

"仮説"を意識した「思考パターン」のメリットを整理しましょう。

（1）無駄な分析を避けることができる

「何を調べるか」が明確だと、そのためにどのデータが必要で、どの手法を使えばよいかについての"ブレ"が減ります。これは、やり直しや、本来必要なかった無駄な分析をする労力と時間を減らすことにつながります。

また、その分複数の分析を行なうことも可能になり、最終的に、より高い精度（質）のアウトプットになります。

（2）分析の目的が明確になる

どんなに明確で精度が高い分析結果でも、目的に合致していない限り意味がありません。たくさんの数字に囲まれて、分析作業に没頭し、ふと我に返ると、「何を知りたくて調べていたのだっけ？」と本来の目的を忘れ、「分析の結果を出すこと」だけを追いかけている自分に気付くことも少なくありません。分析のゴールが「分析結果を出すこと」にすり替わっているのです。

たとえば、売上減少の原因を特定しようと、ある商品の販売データとあれこれ格闘した結果、30代男性と20代女性消費者の購買傾向が似ていることが突き止められたとします。

これは、分析としては、素晴らしいのかもしれませんが、当初の「売上減少の原因を特定する」という目的に直接貢献する可能性は低いでしょう。

（3）大局的な視点でストーリーを作りやすい

　仮説は、目的を達成するための要素を示したものとも言えます。

　たとえば、「売上が落ちている原因を特定する」という目的に対して、商品に関する仮説、店舗に関する仮説、市場全体に関する仮説など、複数の切り口（視点）を、仮説を通して構築することができます。複数の仮説に対する分析結果を組み合わせることで、目的に対する多面的、大局的な視点を持つことができ、より説得力のある答え（ストーリー）を引き出すことにつながります。

「仮説アプローチ」の注意点

　バラ色に見える「仮説アプローチ」にも、注意すべき点があります。

（1）見えない課題を見逃すリスク

　「仮説アプローチ」は、最初から何かしらの目的や課題ありきで始まります。つまり、もし同じデータに、より重要または有用な情報が埋まっていた場合、その発見につながる仮説を、最初の段階で意識から外してしまうことにもなりかねません。

　「仮説アプローチ」の対極に、「網羅的アプローチ」と呼ばれるものがあります。「網羅的アプローチ」では、目的や課題を限定せず、データを片っ端から網羅的に分析にかけていきます。もちろん仮説アプローチに比べれば時間も労力もかかりますが、当初は想定もしなかった発見に出会う可能性を秘めています。

　「仮説アプローチ」では、目的に関連するものだけ（その中でも仮説として思い付くものだけ）に焦点が当たり、それが分析の範囲となります。向かう方向が明確な分、道端に落ちているかもしれない宝物を見過ごすリスクがあることも覚えておいてください。

図 0-2 分析の流れ

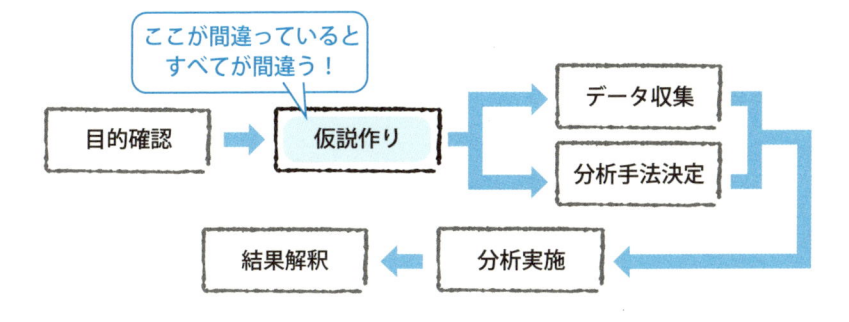

ここが間違っていると
すべてが間違う！

目的確認 → 仮説作り → データ収集／分析手法決定 → 分析実施 → 結果解釈

（2）バイアスのリスク

「仮説」は、検証前の「思い付き」でしかありません。

その仮説が、個人の主観にある程度頼らざるを得ない限り、その人の思い込みやバイアスに左右されるリスクは避けられません。

たとえば、売上が落ちた要因を探るのに、商品の問題や売り場の問題など「自社」という限られた範囲内だけで仮説を持ち、競合製品の影響や関連業界全体の動きを見逃していれば、より根本的な点を見逃してしまうかもしれません。

図 0-2 のように、いくら分析そのもののテクニックを身に付けていたとしても、その前段階の仮説作りに失敗してしまうと、集めるべきデータや分析の手法が最適なものでなくなり（場合によっては間違ったインプットとなり）、最下流にあたる最終アウトプット（図0-2の「結果解釈」の部分）の質が低くなってしまいます。

また特に、分析者がその仮説に強い思い入れや確信を必要以上に抱いていると、分析のゴールが"その仮説を立証すること"だけに偏る傾向があります。つまり、その仮説に合わないデータは無視する。仮説通りの結論が出なければ、出るまで分析を繰り返し、挙句の果てには、デー

タが間違っていると言い出すに至る場合すらあります。

　より厄介なのは、本人はそのバイアスに気が付いておらず、至って真剣な場合です。これは心理的に陥りやすい落とし穴の1つで、「確証バイアス」と呼ばれています。
　ただ、「確証バイアス」の存在を知り、意識して自己チェックする癖を付けることで、このリスクをかなり回避できます。
　ちなみに、「確証バイアス」は、データ収集の段階から、分析中、結論構築の最終段階のいずれにおいても起こり得る、なかなかのクセモノです。

仮説を効果的に分析につなげるための4つのポイント

　仮説が分析の前提として大事なことはおわかりいただけたと思います。では、仮説を効果的に立てるためには、どのようなポイントを押さえるべきでしょうか。

(1) モレなくダブりなく（MECE : Mutually Exclusive and Collectively Exhaustive）

　仮説を立てる範囲に抜けがあれば、大事な視点を見過ごしかねません。また、ダブりのある仮説を立てると、無駄な分析につながります。最初の段階でこれらのリスクをできるだけ潰しておきたいところです。

　そのためには、自分や他人の知識や経験を活用するのはもちろん、世の中にあるフレームワークを活用するのも手です。

　たとえば、マーケティングの4P（Product、Price、Place、Promotion）や3C（Customer、Company、Competitor）などは有名ですね。

　12ページの「商品のデリバリーが遅い」の例で立てた仮説は、「製造」→「配送」→「流通」→「顧客」という販売の一連の流れをイメージしながら、アイデアを出したものです。このようにすれば、個別に思い付きを並べるよりも、途中の要素を抜かしてしまうリスクを軽減できます。

　一方で、バランスにも注意する必要があります。なんでもかんでもMECEで漏れなく拾おうとしたり、4Pなどのフレームワークに当てはめることが目的になってしまっては本末転倒です。

　たとえば、売上改善のための仮説を立てるときに、すでに製品につい

てコントロールできる余地がない(もしくは、あってもほとんどインパクトがない)ことが制約条件としてわかっている場合、もっと優先度の高い軸にフォーカスして仮説を立てるべきです。

フレームワークを参照して、自分の見ている範囲に抜け漏れがないことが確認できれば、あとは優先度を見きわめながら範囲を絞ることもありだと、頭に入れておきましょう。

(2) 現状の制約条件に捉われない

「手元にデータがない」、「今まで調べたことがない」、「社内に知見を持った人がいない」、「他部門のことだから」などの理由から、それらにかかわる仮説を最初から排除しないようにしたいですね。データや知見は、新たに調べたり、社外から買うこともできますので、今ある制約条件に必要以上に縛られない柔らかい発想ができるとベストです。「これって本当にどうにもならないことなのかな?」と自問自答してみましょう。

(3) 複数の仮説を考えてみる

問題の原因や、機会の存在は、何も1つだけとは限りません。また、何かしらのストーリーやロジックをもって相手を説得する場合にも、1つの論拠だけに頼るよりも、複数の切り口からお互いの仮説を補完し合う主張のほうが、より強いメッセージとなるメリットもあります。

(4) 最初から100点を狙わない

最初からある程度本質を突いた仮説のほうが、より効率的に答えに辿り着くことは事実です。しかし、それにこだわり過ぎると、発想も広がらず、自分の思い込みが入りやすくなります。

「仮説は完璧でなくてもよい」ということを常に念頭に置いておきましょう。

仮説を検証するための「ピラミッドストラクチャ」

　さて、仮説を作ることができたら、次はその仮説を確認（検証）するために必要な分析方法を見つけなければなりません。

　ここで、仮説に基づいた分析を考えるときによく使われる「ピラミッドストラクチャ」と呼ばれるフレームワークを紹介したいと思います。

　仮説をデータ分析という具体的な作業につなげるための大事なキーワードは、「その仮説を正しい（または違う）と言うためには何が言えればよいのか」です。

　これらを考慮して、先に述べた『目的』⇒『仮説』⇒『手段』という流れで図式化したものが、次ページの**図０-３**です。

　これはラフな例であり、「手段」をさらに１段階、２段階……と詳細に掘り下げることも、ケースにより必要かもしれません。ただ大事な考え方は、このように常に上位との関係を明確に意識しながら、「何のために何が必要なのか」を論理的に掘り下げていくことです。

　これができてしまえば、あとは「手段」に記載された内容を確認するために必要となるデータと分析方法を選ぶだけです。

　個々の分析結果と併せて、ピラミッドストラクチャを用いたロジックの流れや網羅性を相手に見せることは、プレゼンのテクニックとしても有効です。「自分はこういう考え方で、効果的にあらゆる視点から分析を行ないました」という証明にもなります。この証明が結果やメッセージの信憑性につながり、それが受け手側の納得感につながるからです。

図 0-3 ピラミッドストラクチャの例

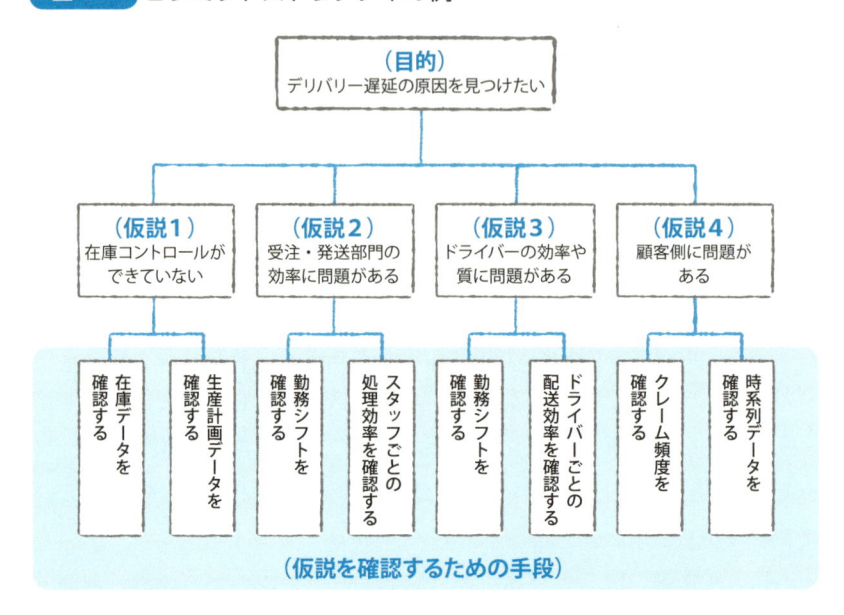

```
                    （目的）
             デリバリー遅延の原因を見つけたい
        ┌─────────┬──────────┬──────────┬─────────┐
     （仮説1）    （仮説2）    （仮説3）    （仮説4）
    在庫コントロールが  受注・発送部門の  ドライバーの効率や  顧客側に問題が
      できていない    効率に問題がある   質に問題がある     ある
      ┌───┬───┐  ┌───┬───┐  ┌───┬───┐  ┌───┬───┐
    在庫  生産  勤務  スタッフ  勤務  ドライバー  クレーム  時系列
    データを 計画データを シフトを ごとの  シフトを ごとの  頻度を  データを
    確認する 確認する 確認する 処理効率を 確認する 配送効率を 確認する 確認する
                        確認する           確認する
               （仮説を確認するための手段）
```

ラフな分析で"当たり"を付ける「仮説構築のための分析」と、詳しい分析でロジックを固める「仮説検証のための分析」

　"仮説検証型"の課題解決アプローチの文献を読むと、その多くは、仮説が検証できるまで、「仮説構築」→「検証」→「仮説構築」→「検証」……、のトライアンドエラーを繰り返しましょう、と書いてあります。確かに正論なのですが、限られた時間内でアウトプットを出さないといけない実務家には、限度というものがあるはずです。現実には、「当たるも八卦当たらぬも八卦」で、トライアンドエラーを繰り返す余裕などない場合のほうが、私の経験上、圧倒的に多いことも事実です。

　では、限られた時間の中で仮説の当たりを付ける精度を上げて、分析をより効率的に進めることはできないものでしょうか。制限時間のプレッシャーの中にいる人にとっては、切実な悩みですよね。

そのようなときも、「分析」が活躍します。

ラフな分析を短時間で行ない、その結果を見て深掘りすべきポイント、仮説の優先度を見極めることができれば、分析作業全体の効率が上がります。その見極め方も、単なる当てずっぽうではなく、分析結果に基づくものであれば、判断の客観性を保つことができます。

たとえば、先の「デリバリー遅延」の例で考えてみましょう。

「製造」、「配送」、「流通」、「顧客」という4つの仮説ポイントを考えました。この中で、「流通」、すなわちドライバーのパフォーマンスについて、ラフに分析するとします。

たとえば次のようなことをザクっと見ることができます（個別の分析の詳細は後の章で紹介します）。

- デリバリー時間の「平均」を過去、現在と取り比較すれば、その推移から、遅延発生の推移が大まかに読み取れます
- デリバリー時間の「標準偏差」（第3章参照）を同じく比較すれば、人や地域、時間帯などの要因によるバラツキの差が読み取れます

これらは、データとエクセルさえあれば、数分もかかりません。そして、これだけでも、「問題がここにありそうか否か」というポイントはわかります。

この結果、問題の可能性が見つかれば、さらに深い分析をするための仮説をしっかり立てるようにします。逆に、問題が見つからなければ、この仮説の優先度を落とせばよいのです。

仮説を立てるための分析は「必要以上に深く入り込み過ぎない」ことが重要です。この段階で、詳細な分析（たとえば、データを地域ごとや、時間ごとなどに分解して分析を進めるなど）を始めると、他の仮説も含めた全体を見る視点も時間も失いかねません。この結果、より重要な仮

説（そしてそのための分析）を見逃してしまうリスクがあります。

　仮説構築のための分析と、仮説検証のための分析は**図０-４**のように示すことができます（課題の複雑さや大きさなどにより、厳密に分けることができない〈必要ない〉場合もあります）。

図 0-4　異なる目的のための２つの分析フェーズ

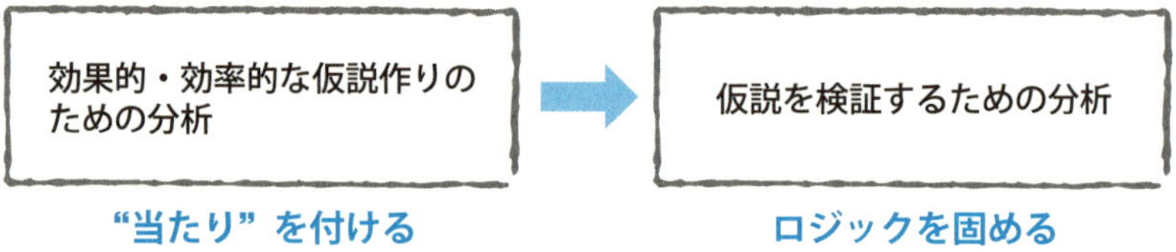

効果的・効率的な仮説作りのための分析	→	仮説を検証するための分析
"当たり"を付ける		**ロジックを固める**

　「サラッと当たりを付けるための分析」と、「しっかりとした論理作りのための詳細分析」をうまく使い分けられるようになれば、分析の達人へグッと近づくことができます。

A君が考えた目的、仮説、手段は下記のようなものです。

> **目的** 　B国に新規参入する妥当性を示す
> **仮説** 　B国に新規参入すべき、ということを裏付ける仮説
> 1　B国は今後、サイクロン型掃除機の市場として有望である
> 2　有効な販売戦略がある
> 3　自社の売上と費用は妥当なレベルである
> **手段** 　それを裏付ける調査として
> - B国には、サイクロン型掃除機を買おうとする人がどれだけいるかを示すデータを分析する
> - どの販売戦略が効果的かを示すデータを分析する
> - 実際に販売するときに必要なコストと売上の予測データを分析する

上司　「ゴーサインを出すためには、売上と費用を想定し、会社として見合う事業であるかを示すことは大事だね。販売戦略についての方法論があれば、説得力も増すと思う。ただし『絶対にB国』というバイアスがあると、自分に都合のよい情報だけに目がいきがちだから、その点に注意することも大事だよ」

コラム 網羅的アプローチの使い方

　16ページで紹介した「網羅的アプローチ」が活かされる場面もあります。
　たとえば、新たにデータを入手するには相当なコストがかかるため、限られたデータを使わざるを得ない場合、必ずしもそのデータが当初の目的や仮説検証にそのまま活かせるものでない可能性は当然あります。その制約条件の中でも、できるだけそこから多くの情報や可能性を引き出したいなら、「網羅的アプローチ」も1つの有効な手段として検討してみるべきです。

　私にもこんな経験があります。
　従業員の職場への意識を問う数十項目のアンケート調査の結果がありました。その結果から、各質問に対する従業員の評価がわかるのですが、評価の背景や理由を知ろうとするとそれだけでは不十分です。たとえば、「今の仕事に満足しているか？」に対する結果を5段階評価で知ったとしても、その結果の背景も、取るべきアクションもわかりませんでした。大掛かりなアンケートを再度やり直すわけにもいかないため、片っ端から各質問同士の関係を分析したのです。
　すると、たとえば「今の仕事に満足しているか？」に対する結果と、「仕事の成果がキャリアアップにつながっている」の結果に強い関係（相関）が見つかり、そこから仕事の満足度を上げるための具体的なアイデア出しに大きく貢献しました。
　このように、「仮説」そのものをゼロベースで自由に立てても、それを検証するためのデータが入手できない、といった制約の影響を大きく受けざるを得ない場合などには、「網羅的アプローチ」を検討するのもよいでしょう。

第 1 章

そんな都合のいいデータ、
どこにもないんですけど……
**効果的なデータ分析のための
集め方と分析の視点**

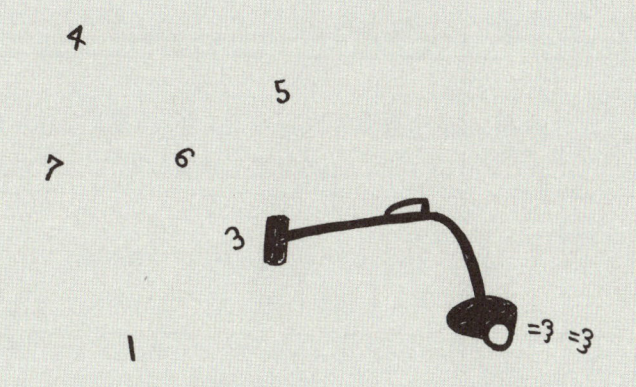

やみくもにデータを集めても分析はできない！

上司　「A君お疲れ様。これでやりたいことの方向性は具体的に見えてきたね」

A君　「ありがとうございます。すでにこの時点で頭を使いまくってフラフラです……。でも、次に進むべき方向が、ぐっとクリアになった気がします」

上司　「おいおい（笑）、これからが本番だよ。明日は、必要と思われるデータを集めるところから始めてくれるかな。時間もないので、くれぐれも『何を言いたいのか』を忘れないように」

　次の朝A君は、必要になりそうなデータを社内で片っ端から集め始めました。でも、11時を過ぎても、A君は、まだバタバタしています。

上司　「朝から慌ただしくしているようだけど、データ集めは大丈夫かい？」

A君　「色々探しているのですが、『そんな都合のいいデータなんてないよ』と、どの部署でも言われてしまうんです。インターネットの情報も確かにありますが、一般的なデータが多くて、自分がほしいドンピシャのものはありません」

上司　「A君。もしかして、すぐにそのまま使えて、答えになるデータを探していないか？　……やっぱりね。そんな都合のいいデータ

は、お金を出して調査してもらわないと手に入らないよ。今回はそんな時間的、費用的な余裕はないから、もっと頭を使って工夫しなきゃ」

A君　「えっ？　データ集めに工夫ってどういうことですか……？」

　A君は、首をかしげています。

上司　「いつでも自分が使いたい形でデータが揃っているわけじゃない。でも、データをうまく加工したりすることで、そのデータの使い道をぐっと広げることもできるんだ。特別な知識や方法が必要なことを言っているわけじゃないよ。アイデアだけの問題だ」

A君　「すみません。ぜひ教えてください」

上司　「A君が集めたデータを見て、どんな工夫ができるか一緒に考えてみよう。あと、データは、あるものをそのまま持ってこないようにね。やみくもに手元のデータを使うのではなく、膨大なデータの中で、そのデータをどう使うかを考えることも重要だよ。そこも、しっかり理屈を考えてみてごらん」

　データを準備することが、こんなにも難しく、大変なことだったのかと改めて痛感したA君。でも、上司から教えてもらったことは、どれもヒントになるものばかりでした。

仮説の答えになるデータを探そう

「そのためには？」を合言葉に"ピラミッドストラクチャ"を組み立てよう

　A君のように、確認すべきことが明確になったとしても、実際にデータを集めようとすると様々な壁にぶつかります。社内に関連するデータがあれば御の字。仮にあったとしても、それを持っている部署や人が周知されているわけではないので、本当に必要としている人の手には入らないなんてことはしょっちゅうです。

　それでもやはり、仮説が正しいかどうかを判断するためには、「本来必要なもの（データ）は何なのか」を明らかにすることから始めることが重要です。これをないがしろにすると、手元にあるデータが「思考の制約条件」になってしまい、「今あるこのデータで証明できること」に結論を歪めてしまうリスクがあるからです。

　ここで、序章で紹介した、「目的⇒仮説⇒手段」の流れを思い出し、仮説を検証する「そのためには？」という質問の答えとなるデータは何か、考えてみましょう。

　図1-1の例は、仮説をいくつかの要因に分解して、ピラミッドストラクチャを1段掘り下げたものです。ここまで落とし込むと、確認したいポイントとそのために必要なデータが、より明確になります。

　もちろん、一段掘り下げた要因が、漏れなくダブりないMECEを満たしていることが理想です。ただし、それを厳密に追い求めることがゴールではありませんので、「できる範囲」でのベストを目指しましょう。

図 1-1 ピラミッドストラクチャの例

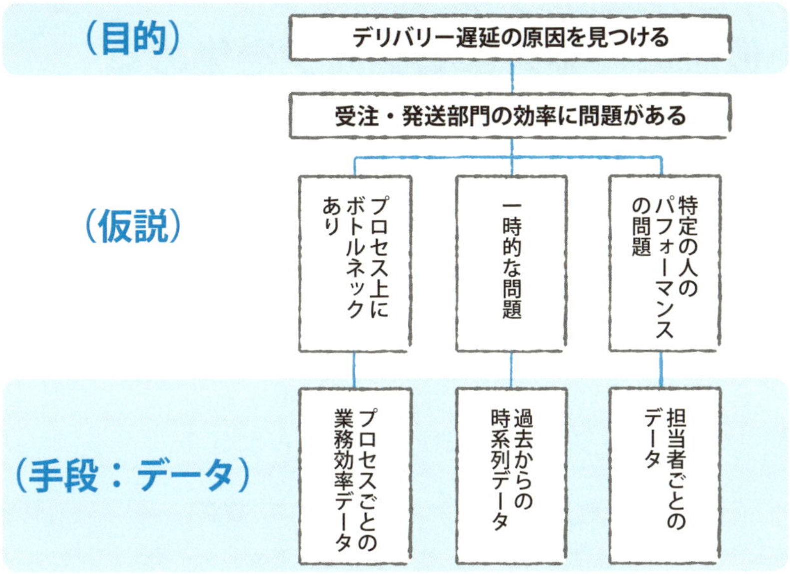

（目的）　デリバリー遅延の原因を見つける

受注・発送部門の効率に問題がある

（仮説）
- プロセス上にボトルネックあり
- 一時的な問題
- 特定の人のパフォーマンスの問題

（手段：データ）
- プロセスごとの業務効率データ
- 過去からの時系列データ
- 担当者ごとのデータ

　しかし、それだけ重要にもかかわらず、分析の"インプット"となるデータに何を用いるかは、分析者（人間）が選択できる余地が無限に広く、絶対的な正解もないため、いかに無駄なく効果的に選択するかは非常に難しいところです。

　たとえば、「果たしてこの製品は今"売れているのか"」を知るためのデータといっても、いつ時点のデータを見るか、どの地域を見るか、どの顧客属性を切り出すかなど、いくらでも切り口があり、何を使うかによっても結果が異なりそうですよね。

データ収集のポイント①
仮説の一歩外までデータを集める

　では、データの収集時にどんなことを知っておくと、作業上効率的で、より質の高い分析のインプットとなるデータを準備することができるのでしょうか。

幅を持ったデータ収集で作業を効率的に行なう

　『目的』⇒『仮説』⇒『手段』の流れ、特に『仮説』⇒『手段』の流れについては、仮説を立てていたとしても、必ずしも一発で完璧にゴールに辿り着けるとは限りません。

　初めに立てた仮説や、集めたデータが十分であれば問題ないのですが、実際には、課題が複雑になったり、規模が大きくなるにつれ、仮説と分析を小刻みに行ったり来たりしながら少しずつゴールが見えてくることもあります。

　このようなとき、"その時点で"必要最小限と思われた範囲だけに限定してデータを準備すると、後々データを分析しきっても結論に至らないケースが出てきます。

　また、そのようなタイミングでは、すでに分析作業も進んでおり、新たに必要と思われるデータ収集を再開することには、心理上も、作業の効率上も、思った以上に負担を感じます。

　でも、仮説の一歩外までデータを集めることで、その後の作業もスムーズになるのです。特に、次のようなケースでは、予め広い視点でデータを集めておくと功を奏することがあります。

（1）ベンチマークに活用する

　ある自社製品について分析をするとします。その特徴を知るには、その製品に関するデータを集めればよいのですが、その際に競合する他社製品についての同様のデータも併せて集めておきます。すると、自社製品で確認した分析結果を他社製品のものと比較することができます。

　また、自社データについても、本来の調査対象のA地区だけでなく、ついでにB地区とC地区のデータも集めて一緒に分析すると、A地区独自の特徴の有無を確認することができます。これはA地区だけの結果からは知り得ないものです。

（2）データ切れ対策になる

　月次のデータで仮説の検証ができそうだと考えた場合でも、あえて週次や日次のデータも拾っておくと、後々楽になるケースがあります。たとえば、月次データで見ると4月を境に、それまで下降の一途を辿っていた販売実績が大きく反転したことがわかるとします。ただ、1か月単位の塊では、小売業などでは大雑把過ぎて、変化の理由を特定しづらいかもしれません。そのような場合、週次のデータがあればすぐにその場で確認し、「第2週目のイベントが売上傾向反転の契機であることが確認できた」といった結論に辿り着くことができるかもしれません。

　なんでもかんでも多めにデータをかき集めればよいということではありません。でも、後々どのような形で作業や分析結果の質に貢献してくれるかわかりません。少し頑張れば手に入る程度のデータであれば、ちょっと手を伸ばして集めておきましょう。

　最初はムダもあるかもしれませんが、無駄なデータ収集や、予備データに助けられる経験を通して、段々と絶妙な勘所が身に付いてくると思います。

データ収集のポイント②
データの"軸"に着目する

　ビジネスの実務で使われるデータの多くは、「時間」、「場所」、「商品」、「年齢」、「顧客の属性」などの"軸"（属性）を持っています。これらの軸に着目してデータを集めることで、分析の幅に広がりが生まれます。そのため、データ収集時から軸を意識してデータを集めておくと、後々の分析作業の助けになる場合があります。

　たとえば、ある月次の販売データを入手したとします。同じ販売データでも、「時間」軸に着目し、週次や日次のデータも準備できれば、それだけで使えるデータはさらに2種類増えたことになります。週次や日次のデータは、月次のものとは違った視点や分析結果を見せてくれます。

データ1つでも、軸を変えれば視点を増やせる

　また、同じデータでも軸は1つだけとは限りません。たとえば、ある特定の商品の販売実績データであれば、次のような軸が考えられるでしょう。

「時間」：昨年の販売 / 今月の販売 / 木曜日の販売……
「場所」：アジア地域の販売 / 鈴木さんの担当地区の販売 / A店舗での販売……
「顧客」：10代の顧客 / 男性の顧客 / 他の商品と同時購入の有無……

　このように、様々な軸があることを念頭に集めたデータは、分析が行き詰まったときの新たな突破口となりますし、結論を様々な角度からサポートするネタともなります。様々な軸で捉えて、「1粒で二度も三度もおいしい」データにしてしまいましょう。

データの軸で「分解する」&「まとめる」

　データをある軸で捉えると、その軸に沿って"分解したり"、"まとめたり"することができます。

　簡単な軸の例は「時間」です。時間の経過に沿って記録したデータ（時系列データと言います）は、年、月、週……など、データが存在する限り、区切る単位を任意に決めることができます。たとえば今手元にあるデータが月次のデータだとします。それを月の前半/後半、週単位、日にち単位に"分解"することができます。

　「場所」についても同じです。"市"という地域や市場を"県"や"国"にまとめたり、逆に"町"や"◯◯駅周辺"などに分解できます。

　このように、ある軸を想定することで、"分解"することと、"まとめる"ことができることを頭に入れておきましょう。

　では、"分解"や"まとめ"の視点を持つことで、インプットとなるデータに具体的にどのような違いが生まれるのでしょうか。

　36ページの図1-2から図1-4をご覧ください。全く違って見えるこの3つのグラフは、元は同じデータを参照しています。しかし、どの単位で区切るのかによって、こんなにも結果の見え方が違ってきますね。

　図1-2では、月の後半で大きく販売実績が下がっていることだけが見て取れます。

　図1-3の週ごとのデータでは、だんだんと実績が下がり傾向にあることはわかります。加えて、実は第5週は3日間しかない事実を見落としてしまうリスクも潜んでいます。

　もっと詳細に分解した日次データ図1-4では、月の半ばで、しばらく低迷が続くものの、月末に向けて大きく盛り返していることがわかります。これは図1-2や図1-3では、**データをまとめてしまったが故に**隠れてしまった事実です。

図1-2 半月ごとデータ

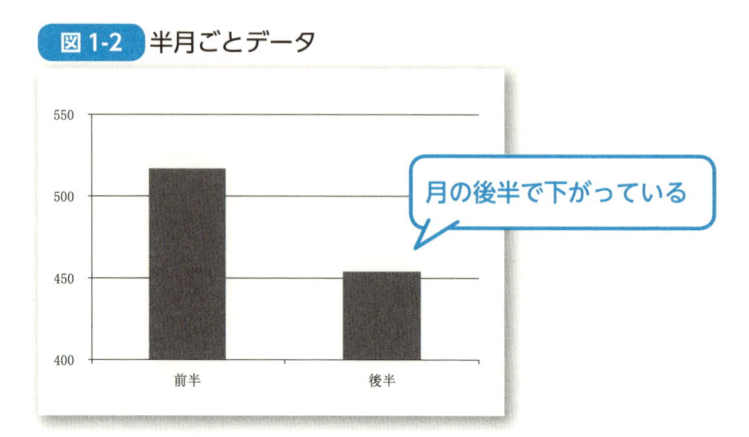

月の後半で下がっている

図1-3 週次データ

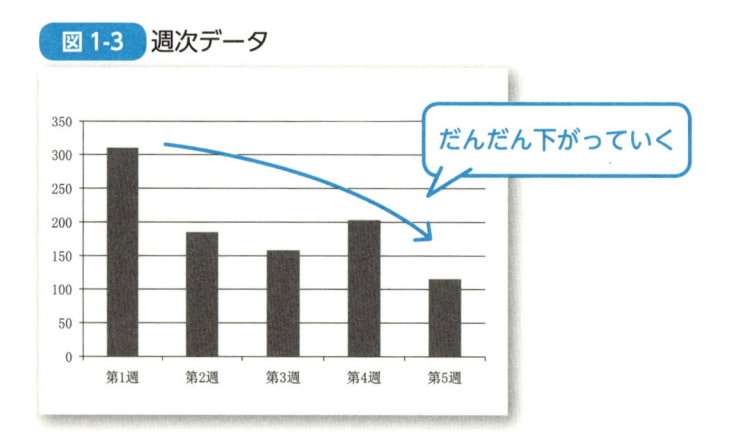

だんだん下がっていく

図1-4 日次データ

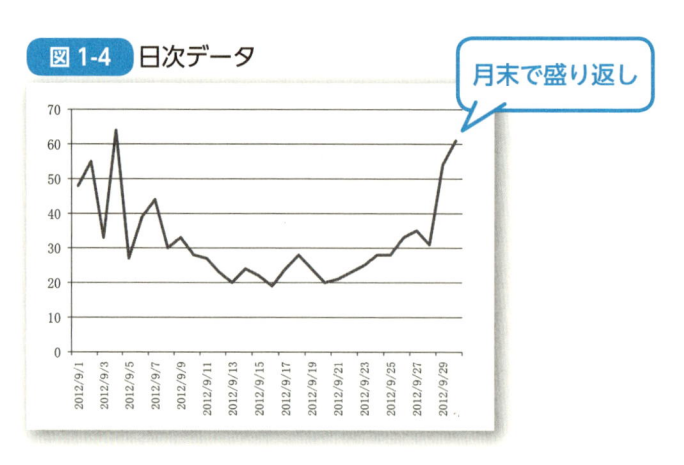

月末で盛り返し

つまり、データを細かく分解すればするほど、詳細なことを示すインプットデータとなります。

データ分解の適度な"アンバイ"

でも、みながみな、データを極限まで分解して使っているわけではありません。それにも、次のようにちゃんと理由があります。

・**分析の"コスト"の問題**

最初の生データの段階で、軸に沿っていくつかに区切られたデータが準備されていることはほとんど稀です。そして、区切る細かさによって意味のある違いがあるか否かは、やってみないとわからない（見えない）ことが多いのです。

すると、「最初に与えられたデータをそのまま使う」ことに、なんら疑問を感じず分析に入ってしまうケースが多いのも理解できます。なぜなら、わざわざ同じデータをこねくり回して何度も分析をしたり、隠れた問題にわざわざ関心を払うこと自体、かなり面倒なことだからです。時間と労力は、分析の「コスト」にほかなりません。

・**より大きなバラつきの問題**

コストだけでなく、細かいデータの中には「雑音」となり得るデータが含まれていることもあります。たとえば、日次の販売データでは、特定の日に特売を行なったために、他の日から見て突出した売上になっているかもしれません。必要以上に分解して、あくまで特殊要因による例外的なデータを拾うことにより、かえってそのバラつきが分析の大局観を失わせてしまうかもしれません。

このようなリスクを考えると、なんでもかんでもデータを分解すればよい、ということではなく、あくまで目的に沿って必要とされる精度を見極めて、分解の度合いを決めるべきだと思います。

一般論として私は、最終目的に沿って必要だなと思われるレベルより、さらに一段詳細に分解されたデータまで入手することにしています。

データ収集のポイント③
目的に合った「データの範囲」を意識する

　分析結果に影響を及ぼすのは、分解度だけではありません。どこまでの範囲のデータを採用するかによっても分析結果は変わってきます。

　たとえば、次ページのような日経平均データがあったとします。
　図1-5は当日のみを範囲としたものです。「今はどんな状況ですか？」という問いに対して、右肩上がりのグラフから、「株価は上昇している」と答えることでしょう。
　図1-6は、1週間分のグラフです。こちらも「株価は上昇している」と見るのが妥当ですね。
　図1-7からは、ちょっと様子が異なります。1か月の範囲では、初期に一度上昇したものの、全体としては「下がり傾向」にあると感じられます。「今はどんな状況ですか？」という問いに対して、先の2つと真逆の答えとなります。
　図1-8のように、長い範囲の中では上昇、下降を繰り返し、一言で状況を説明するのは難しいですね。

　このように、過去から現時点までの状況を説明するにも、どの範囲を見ているかによって、その結論が変わります。これは、単にグラフ上の視覚的な印象の違いだけではなく、データを採用する範囲の違いが、そのまま分析に使うインプット情報の違いにもなり、分析結果に影響を与えるのです。
　ただ、残念ながら、この"範囲"についても絶対的な正解がありません。分析のつど、目的に適った結果を精度高く得るために最適な範囲を

図 1-5 当日のみのグラフ

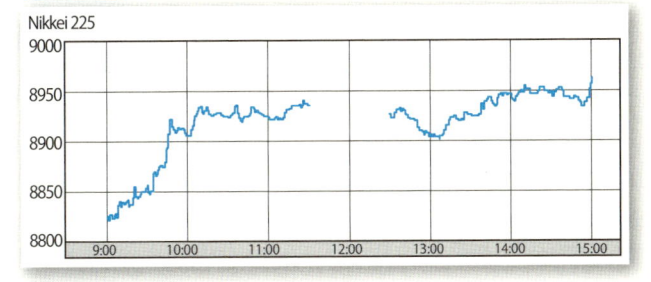

図 1-6 1週間のグラフ

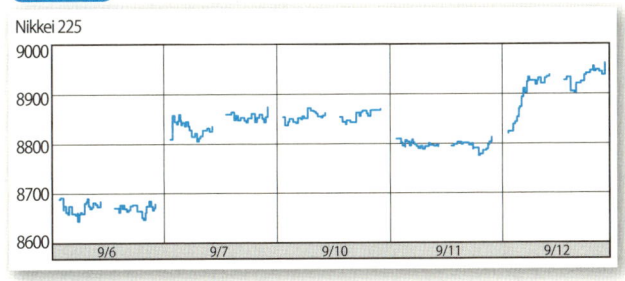

図 1-7 1か月のグラフ

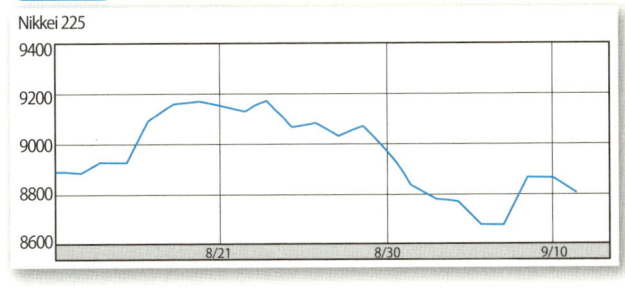

図 1-8 1年のグラフ

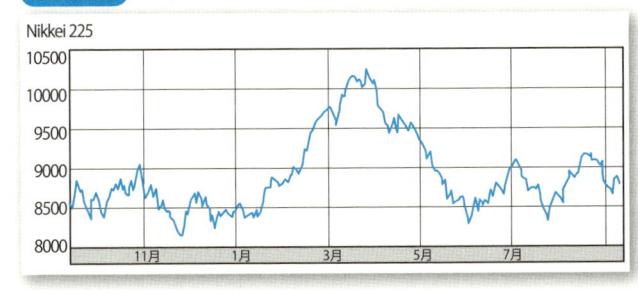

第 1 章　効果的なデータ分析のための集め方と分析の視点　039

選択することが、分析者に求められます。
　ただし、いくつかの範囲を選択して分析し、その違いの有無を確認することが、範囲選択の違いによる影響を見過ごさないためのリスクヘッジにはなります。

範囲についての合理的な説明を入れる

　さて、どのように範囲を特定するのか、ですが、範囲による違いがさほど目的にとって重要でない場合や、一定の周期で同様の傾向が見られるような場合には、あまり悩む必要はないでしょう。

　でも、そうでない場合、データを用いて説明をする際に、採用した範囲についての合理的な説明が必要になってきます。
　その処方箋の１つが、いくつかの範囲を選び、それぞれについて分析し、結果を見せることです。

「月単位ではXXXという特徴ですが、週単位では〇〇〇という結果が見られます。これは△△△という要因によるためです」

ということが言えれば、より深い分析結果を相手に提供できるでしょう。
　ここで大切なことは、単に結果の違いだけを羅列して見せるのではなく、その違いの要因を考察して示すことです。それなしには、単に複数の結論を並べるだけになってしまい、かえって受け手を混乱させてしまいます。

データ収集のポイント④
「外れ値」は理由を考えて処理する
ドラッグストアーの売上額はなぜ、こんなに変わったのか

　データ全体の中で、明らかに他のデータと異なる、突出した値を持つデータポイントを「外れ値」（**図1-9**）と呼びます。

　1つの外れ値が、その突出の仕方によって、分析結果に大きく影響を与えることがあります。影響を与えた結果として、本来求めていた結果が得られなくなってしまう場合もあり、注意が必要です。

　たとえば、ある日、ある時間帯にドラッグストアーに来店した50人分の平均売上額を算出したところ、2,640円であったとします。

　仮に、この同じ時間帯に、1人だけ20,000円の買い物をした人が紛れ込んでいたとします。その結果、平均売上額は3,040円になりました。両者の結果は、1人当たり平均で400円の差が生じます。

　結果だけ聞くと、1人当たりの購入額に400円の差があると思われる可能性（リスク）がありますが、あくまで特定の1人のお客様による影響だけが原因です。この結果をもって、それ以外のお客様の特徴を捉えたとしたら、間違ったメッセージを与えてしまいます。

図1-9 外れ値

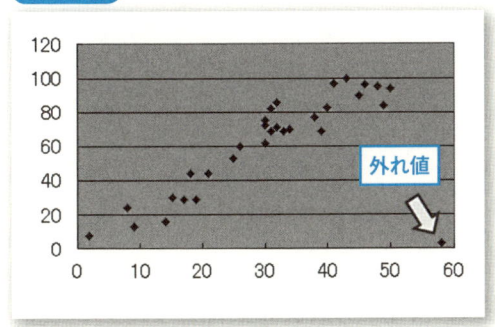

ただしここは、「外れ値が入っていること自体は必ずしも間違いではない」ことにも注意が必要です。

分析作業をする上で最も大切なことは、**「外れ値が存在していることを認識していること」**です。もし外れ値が正当な理由なく紛れ込んでいれば、分析前にそのデータを外しておくべきです。

散布図にして外れ値を見つける

データの数にもよりますが、生データの一覧を眺めているだけでは、外れ値の存在を見過ごしてしまうこともあります。効率的かつ視覚的に外れ値を見つけるためには、データを散布図などのグラフで視覚化し、データの集団から不自然に外れているものについて、その存在理由を確認していきます。

先のドラッグストアーの例で言えば、グラフ化した結果、視覚的に突出した点に着目して、この2万円分の購入者が特定されたとします。この人が購入したものを調べた結果、たとえばそれが数年に1個しか売れない2万円の健康器具だったとわかりました。「一般的な平均購入額を算定する」目的からは、このデータを含めることが妥当であると判断されることはないでしょう。

何度も分析を繰り返しているものの、どうも感覚的にしっくりくる結果が出てこない、といった場合に、実は見落としていた外れ値が結果を狂わせていた、なんてこともあり得ます。そこで初めて外れ値の存在に気づくこともよくあります。でも、「外れ値」の可能性を意識していれば、外れ値にも気付きやすいのです。

一方、外れ値について気を付けなければいけないこともあります。より"きれいな"分析結果を得るために、外れ値を無条件または意図的に除外してしまってはいけません（実際その誘惑は想像以上に大きいのです）。

これが現実!?
データが集まらないときの「データの増やし方」

データ収集時にぶち当たる現実的な"壁"

　日常実務で実際にデータを集めようとすると、これが言うほど簡単ではありません。必要なデータを得るための費用や時間が十二分にあるのなら問題はありませんが、現実的には、

「すでに自部署に存在するデータ　＋　ネットや社内他部署等から入手できるデータ　＋　α」

の中でやりくりすることが多いのではないでしょうか。

　すると、序章で述べた、ピラミッドストラクチャから論理的に導き出された「本来必要なデータ」と、「現実に入手できる」データとの間にギャップが存在することになります。

　では、そのような制約の中でも、なんとか分析の可能性を広げる手段はないものでしょうか。そこで着目すべきなのが、データの加工です。

データを加工してバリエーションを増やそう

　インターネット上のデータを検索しまくって、とにかく情報量を増やすことも1つの手段ではあります。でも、身近にある入手可能なデータがあるのなら、それを活用しない手はありません。

　同じ仮説の検証をするにしても、データ次第で、いくつもの切り口からアプローチできることがあります。そのような場合、手元にあるデータを加工してアプローチの可能性をどんどん広げてみましょう。

(1) 絶対値を「比率」に変える

　実務で使われるデータには、大きく2つの形があります。1つは何かの比率の形であり、もう1つは比率でない"絶対値"の形です。たとえば、「5月の売上額500万円」は絶対値であり、「月当たり売上額500万円（＝500万円/月）」は比率データです。

　集め始めると、すでにだれかの手によって加工されていない限り、手元には絶対値のデータが多く集まると思います。

　しかし、絶対値だけ並べても何も語らないデータが、比率という形に加工することによって、違う意味を持つデータに変身します。

　一例を見てみましょう。

　図1-10は、架空の複数の市で、スマートフォンの契約数を男女別に調査した結果です。このような調査データは、インターネットの行政のページや、白書、各種調査機関などが発行するレポートで比較的簡単に入手できます。

　この結果を使って何かしら意味のある情報を引き出そうとすると、難しそうですね（ここで"意味のある"というのは、たとえば、相対的に多いとか、低いといった、何かしらの特徴が見い出せるか否かと考えてください）。

　図1-10で、それぞれの市でスマートフォンの契約数の絶対値がわかっても、そもそもそれぞれの市の大きさや人口などがバラバラであれば、その大小を比較することにあまり意味はありません。

　なんらかの特徴を捉えるには、同じ土俵に乗せたデータを、それぞれ比較することが近道です。この場合、比較するためのベースを、各市共通に「人口1人当たり」で合わせれば、比較が可能になりますね。

　図1-11が、比率に加工した結果です。

　これを見ると、図1-10のデータからは見えなかった次のことがわかります。

図 1-10　スマートフォンの契約数

（千件）	A市	B市	C市	D市
男性	18.3	24.1	78.8	45.3
女性	12.5	8.9	56.6	20.9
総人口	221	374	629	566

これを人口1人当たりに加工すると

図 1-11　スマートフォンの1人当たり契約数（普及率）

	A市	B市	C市	D市
男性	0.08	0.06	0.13	0.08
女性	0.06	0.02	0.09	0.04

【図1-10と図1-11を比べてわかること】
- A市とD市の普及率は男女ともに大きな違いがない（普及率が近い）
- 普及率が最も低いのはB市で、最も高いのがC市である

　このように、同じベースで揃えたデータは、単に比較に便利なだけではなく、様々な分析手法のインプットデータとしても有効です。なぜなら、「A市での男性契約数：18.3（千人）」の18.3と、「A市での男性人口当たり契約数0.08」の0.08とでは、データの意味するところが全く違いますよね。つまり、元のデータに対して、0.08という全く新しい意味を持つデータが1つ加わったことになるのです。
　この例のように「単位」をベースとして合わせるなら、「全体（このケースでは市の人口）の大きさで割る」こと以外にも、「年単位」、「月単位」、「面積当たり（/m²）」、「長さ当たり」などの方法が考えられます。

第1章　効果的なデータ分析のための集め方と分析の視点

比率に加工するキーワードは、「単位当たり」だけではありません。他にも、次のように、たくさんのバリエーションがあることも覚えておくとよいでしょう。

カテゴリー	例
単位当たりの比率	・人口当たり ・世帯当たり ・従業員1人当たり ・年（月、週、日）当たり ・売上当たり ・○○円当たり ・m² 当たり　など
属性による比率	男女比、年齢層比　など
時間による比率	前年同期比、年度平均伸び率　など
「他」との比較	競合比、他国比、業界比　など

このように考えると、元のデータは同じであっても、工夫（加工）次第で、使えるデータを数倍に膨らませることができます。

(2) 要素ごとに分解してデータを増やす

34ページのデータ収集のポイント②で「分解する視点」として紹介したものと同じコンセプトです。目の前にあるデータを、何かしらの軸（時間、性別、地域など）で分解することができれば、分解した数だけデータの種類は増えることになります。元のデータでは隠れて見えなかったものが、分解することによって浮き上がってくるかもしれません。

一例を見てみましょう。

図1-12は、あるデパートで、顧客の商品購入数と年齢を調べた架

図 1-12 購入数と年齢の関係（合計）

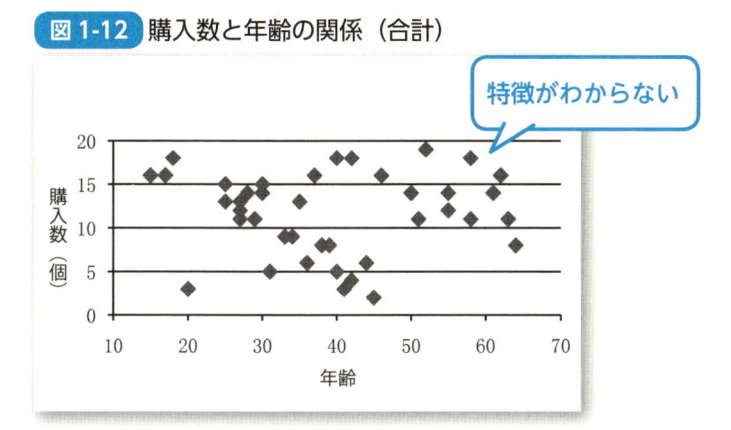

特徴がわからない

図 1-13 購入数と年齢の関係（男性）

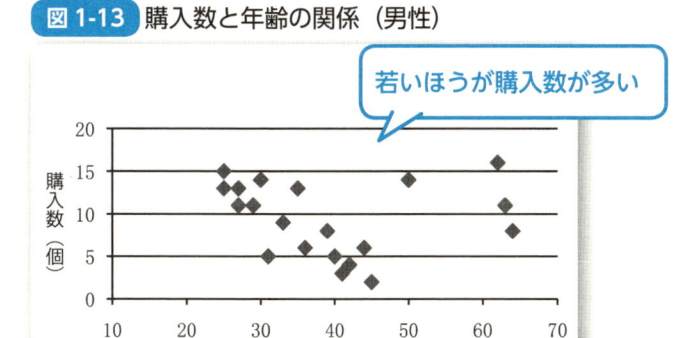

若いほうが購入数が多い

図 1-14 購入数と年齢の関係（女性）

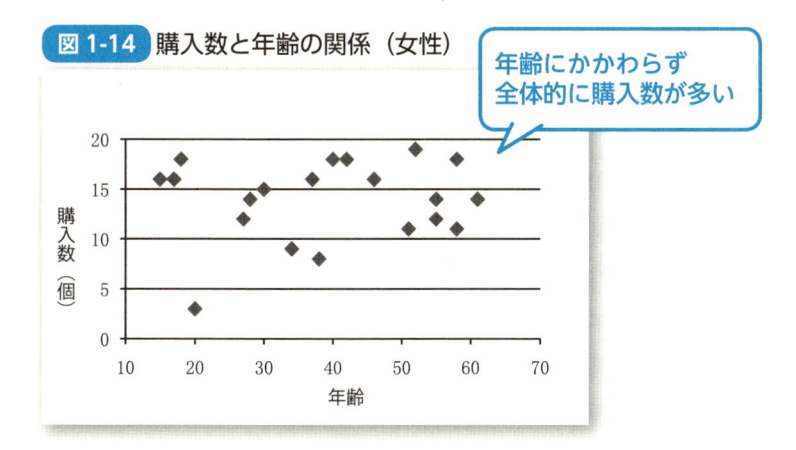

年齢にかかわらず全体的に購入数が多い

空のデータを元に、グラフ化したものです。商品を購入する数に対して、年齢の違いによる特徴があるかもしれない、という期待（仮説）をもってグラフ化してみたものの、一見して得られる特徴は見つかりそうにありません。

でも、ここで思考停止してしまってはもったいない。

「顧客」といっても年齢以外に様々な属性を持っているはずです。たとえば、その人の職業やデパートから自宅までの距離、来店頻度なども考えられるでしょう。これら全ての情報が入手できる保証はありませんが、最初からあきらめたり、思考停止していてはみずからチャンスを放棄するようなものです。

たとえば年齢以外にも、男女という軸に着目し、売上に性差も影響するかもしれない、と発想を広げます（この発想を持つことがポイントです）。

仮に、その分解データが入手できれば、図1-13と図1-14のような2つのグラフに分けることができます。

男性については、60歳以上を除き、おおよそ年齢が低い（若い）ほうが、購入点数が多く、年齢が上がるに従い、それが下降する特徴が見れます。一方、女性では、年齢による差はあまり見られないものの、男性客に比べて総じて購入点数が多いという特徴に目がとまりますよね。

これらの特徴は、男女を分ける前の段階では、全体に埋もれて見つからなかったことです。男女という2つのデータに分けたことで、埋もれていた情報を発掘した例になります。

(3) 定性情報を定量情報にしてデータを増やす

データ分析は、当然「数値データがあること」を前提にしています。

何かしらデータさえあれば、本章で紹介したような加工をすることにより、データのバリエーションを増やす工夫の余地もあります。

一方で、目的に合致するデータが存在せず（または費用などの制約で入手できず）、最初の一歩から壁にぶち当たることも珍しくありません。

こうなると、一見"完全にお手上げ"のように見えます。そのときは、

「データを取らずに、データを作る」

という発想に頭を切り替えてみましょう。

たとえば、過去に一定数以上の人間に対して行なったインタビュー調査などの定性的な情報（コメントや回答など文章の形になっているもの）があれば、それを活用します。

その定性的な情報を、いくつかのポイントにまとめ、そのコメントの数をカウントすることで、定量データに変換するのです。

特定のキーワードの出現頻度をカウントするだけでなく、アンケートやインタビューの回答をいくつかのカテゴリーに分け、各カテゴリーに集まった回答数や全体の中の比率を数値化し、それを分析のデータとして用いることもできます。たとえば、好意的な回答と否定的な回答で分けてカウントすれば、それも立派なデータになります。

大事なポイントは、いかに元の文章から正確にその文脈を読み取り、的を射たポイントにシンプルにまとめることができるかにかかっています。あまりにシンプルにし過ぎて、本来異なる意図のコメントがひと括りにされてしまったり、逆に詳細に分け過ぎて1つのカテゴリーにデータ数が1つや2つしかないようでは、分析用のインプットデータとしては不十分です。

これらのアンバイを見計らいながら、定量データに変換することが求められます。

実際にいくつかのカテゴリーに集約するためには、文脈から相手の真意をある程度推し量る必要もあります。このとき、相手のコメントを勝手に都合よく解釈しないよう注意が必要です。

制約条件の中でも、あきらめずに"あの手この手"でベストなデータを作り出せることも、質の高い分析者の資質の1つと言えるかもしれませんね。

事業計画に必要な情報を確認して、データを探し回ったＡ君。ところが、「これさえあれば、すぐに答えが出るのに……」といった直接的なデータは思うように見つかりませんでした。
　でも、Ａ君はあきらめません。隣のグループが隣国Ｄでのサイクロン掃除機の販売に関するデータを持っていることを知ったのです。そこには、販売実績や販売価格、販売促進データなど、現地で集められたデータが保存されていました。

Ａ君　「ありがとうございました。隣の国のデータではありますが、絶対数を比率に変えたり、要素を上手に調節すれば、使えるデータになりそうです」

上司　「激しい競争市場の中だから、価格情報などは、１年以上前のものはすでに時代遅れになっているだろう。だから、過去１年のデータに絞って使うほうがいいかもしれないね」

Ａ君　「そうですね。また、『仮説の一歩外までデータを集めておくとよい』と教えていただいたので、Ｄ国以外のデータももらっておきました。外れ値を確認し、調整して使うようにします」

上司　「データ収集のコツがつかめてきたようだね。素材が集まったら、次はいよいよ分析だ。頑張って！」

> **コラム** 相対的なグラフのトリックに注意！

ある時点を基点にした相対的な変化を見せる場合には、特に「範囲の選び方」に注意が必要です。たとえば、売上の時系列変化を示す図1-15のようなグラフがあったとします。

図1-15 売上の時系列変化を示すグラフ

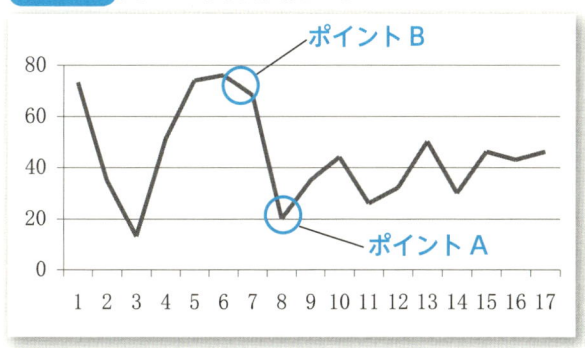

この図から、特定の時点をベース（基点を100とする）として、そこからの相対的な変化を示すグラフを作成します。

図1-16 ポイントAを起点とした相対グラフ

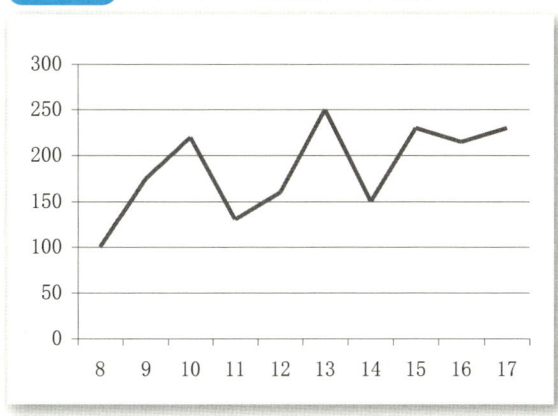

第1章　効果的なデータ分析のための集め方と分析の視点

前ページ図1-16はポイントAを起点としたケースです。これを見ると、「右肩上がり」のグラフに見えます。売上で言えば「市場拡大」といったシナリオを思い描く人が多いことでしょう。

一方、図1-17のように、2つだけ時間をずらしたポイントBを起点に取るとどうでしょう。先ほどとは随分と印象が異なりませんか。思わず、「低迷」や「停滞」といった言葉を思い浮かべてしまいそうです。

図1-17 ポイントBを起点とした相対グラフ

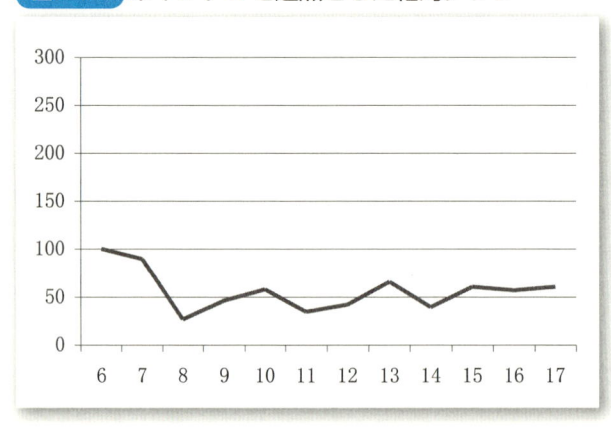

このように、絶対値ではなく、相対値で見せるときには、どこを基点とするかは、極めて重要になってきます。

自分自身が、見せられる側に立った場合でも、見せる側の恣意的な範囲選定に騙されないようにしたいですね。

このような仕組み（トリック？）が起こり得ることを認識し、「なぜその範囲（またはその起点）を選んだのか」という問いかけに対する答えを、相手や自分に求める姿勢は少なくとも忘れないようにしたいですね。

第 2 章

利益を出すために必要なことは？
規模と、平均・中央値の話

市場の大きさを「エイヤッ」とつかもう！

A君　「いやー、やっと分析作業に入れそうなデータが揃いました。でも課長の社内人脈がなかったら、社内のだれが適切なデータを持っているかもわかりませんでした。そういう人脈も大事なんだってことを身にしみて感じました。ありがとうございました」

上司　「そうだな。自分の仕事に関係するデータは、案外、身近な社内に転がっていることも多いからな。あとはそれをどうやって見つけるかってこと。でも残念ながら、だれかが全ての社内データを整理してくれているわけじゃないから、結局"持っている人"に当たるかどうかも、実は大きな要因なんだよね。みな忙しい人たちばかりだから、その現実の中でうまくやっていけるようにならないと」

A君　「データ集めには"人の要素"も大きいってことですね！」

上司　「さて、そういう社内処世術を語るのは別の機会にして、今は目の前の課題に集中しよう。あまり時間が残っていないので、早速分析して企画を組み立てていってくれ。ロジックは市場の大きさや収益性などの『大局的な』確認からスタートして、最後は詳細な『戦術』に収束するステップで進めてくれるかな。戦術は検討したけど、後々、実は大前提が成り立ちませんでした、っていうのは嫌だからね」

A君「わかりました。でも、『大局からスタート』ってどういう意味ですか？」

上司「全く新規の市場に参入するんだ。最初に考えなければいけないことって何だと思う？　一番大きな視点って何だろう？」

　A君は少し考えたあと、

A君「一番大きいっていうのは、市場のことでしょうか……」

上司「その通り！　その市場が本当に魅力的であることを納得させられなければ、そこでどうやって売るかを論じても意味がないよな」

A君「確かにそうですね」

上司「特に、**市場のように大きなものを捉えるときには、その中で起こっている細かいことを必要以上に意識しても仕方ないんだ**。たとえば、1つ1つの商品の値段の違いを詳細につかんだところで、市場全体への影響はほとんどないよな。だからそれよりも、エイヤッ！　と全体像をつかむような発想が大切なんだ」

A君「なるほど。でも、どうやったら、エイヤッ！　とつかめるのでしょうか？」

上司「ヒントは、**平均**だよ」

　平均なんて、小学生でも知っている単純なことです。A君は、少し意外でした。

A君「本当かなあ。でも、せっかくの機会だ。しっかり教えてもらおう！」

市場規模はどれだけか
「平均」で代表的な値を決める

　「市場規模をつかむ」と、あっさりとスタートを切ったA君ですが、全体をつかむためにはどんなデータをどう扱えばよいのでしょうか。

　「市場規模」を示す指標には、総売上額や潜在ユーザーの総数などが多く使われます。市場が示す範囲についても、他社も含めた本当の意味での「市場全体の規模」を指す場合や、自社が狙える部分だけを示すことも考えられるでしょう。

　自社の事業計画を作る立場からは、自分の会社はこの国でどのくらいの売上が見込めるのか、が重要になるはずです。そこで、本章ではそこにフォーカスします。

　このように、自分が使う言葉の"定義"をできるだけはっきりさせておくことも重要です。そのために必要となるデータも変わってきますし、何より伝える相手と正確に理解を合わせることは、提案の大前提です（「相手も当然わかっているはずだ」が結構危ないのです）。数字やグラフを完成させて安心することなく、その定義を、自分では「少ししつこいかな」と思うくらいに併記するよう心掛けるとよいでしょう。

"バラバラ"なデータをまとめる「平均値」で市場規模をつかむ

　では、「自社の売上（想定）総額」を算出するためには、どのようなデータが必要になるでしょうか。

　「市場」は、個別の商品が売れることの積み重ねで成り立っています。同じ会社の商品であっても、実際の売値を個々に見れば、ブランドやグレードなどによってバラバラです。確かに、このバラバラの売上を積み

上げていけば、理論的にはいつかは市場全体に到達することでしょう。でもいくらなんでも、それは非現実的ですよね。

作業が非効率ですし、そもそも将来売れるであろう個々の製品の値段を特定することもできないからです。そのため、この"バラバラ"を個別に考慮するのではなく、1つの数値に代表させる思い切りが「全体」をつかむときには必要です。

そんなときに力を発揮するのが、みなさんすでにご存じの「平均」です。バラバラの販売価格の平均値を「価格代表」として使うわけです。

市場規模を、「平均単価と販売数の掛け算」とシンプルに考えると、次のようになります。

市場規模（円）＝ 1 個当たり平均販売金額（円／個）×販売個数（個）

では、その「平均販売金額」はどう決めればよいのでしょうか。

全く世の中に出ていない、新規の製品であれば、「売る側」で一方的に、"この値段で売りたい"という値（メーカー希望小売価格など）を使うこともアリだと思います。市場参入後の競争を意識して競合製品の価格をリサーチし、その平均を使うことも選択肢としてあるでしょう。

しかし、すでに他の市場などで自社の実績があるのなら、それをベンチマークすることで、より実態に近い分析ができる可能性があります。自社の同じ製品が他の市場ですでに販売されているのであれば、その実績データを入手することは簡単です。A君も、文化や物価レベルなどの市場特性、製品のコストも極めて近いものが売られている隣国Dでの、販売実績のサンプルデータは、社内で容易に入手できました（**図2**

図 2-1 隣国Dでのサイクロン掃除機の販売価格（実績）

平均
42,377 円

第2章 利益を出すために必要なことは？ 規模と、平均・中央値の話　057

−1）。

　このままでは、ただの数字の羅列で意味を見い出すことはできません。でも、平均を使えば、このような数値の羅列データも、データの数にかかわらず、平均値という1つの値に集約して、その"大きさ"をざっくりと表わせます。

　平均のよいところは、単にたくさんの数のデータを1つに集約することだけではありません。平均値を代表値として固定し、他の変数に掛けることで、簡単に全体の大きさを表わすことができます。

　図2−1のデータから、A君が隣国Dの販売価格平均を計算したところ、42,377円でした。

　図2−2は、30個の製品に関する個別の販売価格のサンプルデータを棒グラフにして並べたものです。この棒（の面積）を足したもの、つまりグラフで埋まっている部分が、この30個全ての合計金額になります（この場合、49,900+51,000 +……　などと、30個を合計していくと、約1,271,000円になります）。

　一方、この合計金額を「平均値×個数」で求めることもできます。

　この場合、平均販売価格は42,377円でしたので、30を掛けると、同じく約1,271,000円という結果になります。長方形の図2−3の面積そのものがそれを示していますね。

　この2つの図を比べても、平均値を使うことで計算（や考え方）が簡略になることが実感いただけるでしょう。

平均なら「予測できない要因」にも対応できる

　事業計画を検討する段階においては、将来の販売予測など、確実なところがわからない要素があります。たとえば、先ほどの例では固定していた販売個数についても、実際には、30個の場合、50個の場合、100個の場合など、いくつものケースが想定できるわけです。

　そんなときは、もう一方の変数である「販売価格」を平均という1つ

図 2-2 サンプルデータを棒グラフにすると…

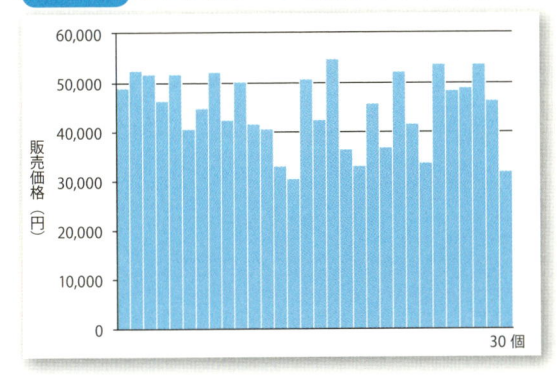

図 2-3 平均値×個数で合計金額を求める

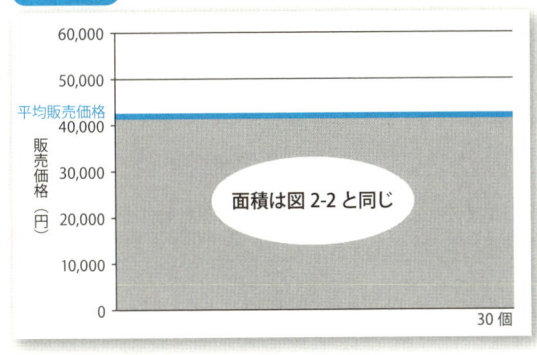

面積は図 2-2 と同じ

の値に固定し、それに掛け算をする「販売個数」を「変数」と捉えると、便利です。販売個数が変数となっても、平均値を用いれば、単に30、50、100などを掛け算することで、いくらでも柔軟に合計値を算出することができるからです。60ページ**図2-4**で言えば、横軸を伸ばしたり縮めたりしても、その面積は、平均を使うことで簡単に出せます。

本ケースの市場規模のように、ざっくりと大きさを知りたいときには、作業上効率的で柔軟に応用できるアプローチです。

販売個数をどう見積もるか

では、実際に「販売個数」の幅はどう見積もればよいでしょうか。

図 2-4 販売個数を変数にして合計金額を求める

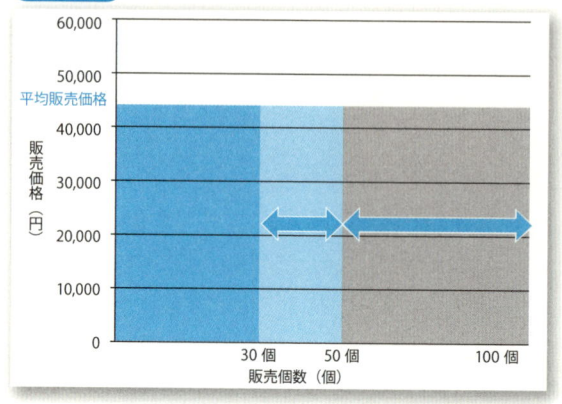

（グラフ：縦軸 販売価格（円）0〜60,000、横軸 販売個数（個）30個、50個、100個。平均販売価格のラインが示され、50個を中心に左右へ矢印が伸びている）

　こちらは、売り手のコントロールも効かず、また「××個当たりいくら」のように全体を単純に平均化することで出てくる話でもなく、むしろ、市場や製品の特性によって、違うアプローチで想定すべきと考えます。どこで売るのかは決まっているわけですから、そのほうが精度は高くなります。マーケティングの世界でよく言われるように、想定される顧客をセグメント（層別）化し、その国のそのセグメント層はどのくらいの数なのか。またさらにその中で自社はどのくらいのシェアを獲得できるのか、といった要素を考慮する必要があります。

　これらは本書のメインテーマではないため詳細は割愛しますが、他社や自社、他市場での実績などをベンチマークするのが、1つの手段として挙げられます。

　もちろん逆の発想で、他社の実績などから「販売個数」の平均を算出し、販売価格を変えるとどう売上総額が変わるかを検討するアプローチもあります。この場合、事業の前提条件、制約、どの変数を戦略的ドライバー（何が事業を左右する主要因となるのか）にしたいかなど、ケースごとの判断が必要です。

　いずれにせよ、大切なことは、複数の変数を同時に扱うのではなく、一方を固定することで、理解のしやすさがグッと上がるということです。

平均は本当に「データ全体」を代表する値なのか？
「平均」の落とし穴

　ここで、多くの人が慣れ親しんでいる「平均」について、より一般的な視点から再度考えてみることにしましょう。

　平均値といえば、「合計値を個数で割ったもの」であることは、みなさんすでにご存じのはずです。

　では、「合計値を個数で割った値にはどんな意味がありますか？」と問われて、みなさんはすぐに答えられるでしょうか？

- 真ん中の値
- データ全体を代表する値
- 最もデータの数が多い値

あたりが、考えられるでしょうか。

　どれも感覚的にはうなずいてしまいそうですね。

　しかし、必ずしも平均が常にこの特徴を持っているわけではありません。

　平均は、59ページの図2-2や図2-3で見たように、複数の値（データ）を「平らに均（なら）した」値です。平らに均せば、全データの真ん中あたりの値に落ち着くような気もしますし、その周辺の値のデータの数が最も多いように感じられますが、そうとは言いきれないのです。なぜでしょうか。

　ここで、平均値周辺の値が最も数が多い、というイメージからすれば、その図は次ページ図2-5のようになりますよね。

　では、もしデータの分布が次ページ図2-6や図2-7のように偏

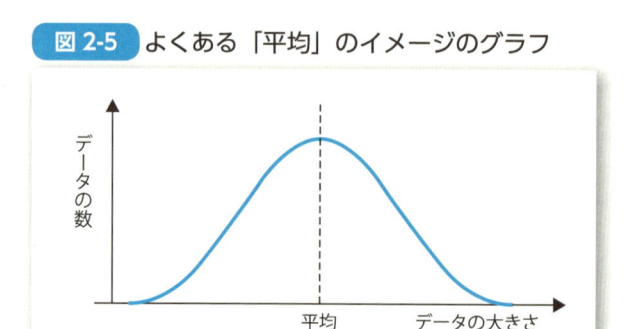

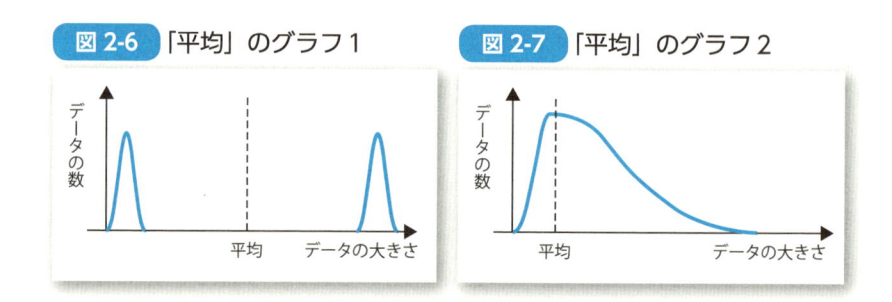

図 2-5 よくある「平均」のイメージのグラフ

図 2-6 「平均」のグラフ1

図 2-7 「平均」のグラフ2

っていたらどうでしょう。果たして同じことがまだ言えるでしょうか？

　図2-6では、平均の周りにはデータが一切存在していません。平均からは、両極にかけ離れた値にデータが集まっています。

　図2-7では、平均の近くに多くのデータが集まってはいるものの、平均値の位置は、データ全体から見た真ん中よりもかなり左側にずれていることがわかります。

　このように、**平均とはあくまで「合計値を個数で割ったもの」**に過ぎず、その結果と、データの分布（散らばり方）とはなんら関係がないのです。すると、先に挙げた真ん中の値、データ全体を代表する値、最もデータの数が多い、という3つの解釈にもその必然性がないことがわかります。

　それにもかかわらず、「平均」という言葉からは、先ほど挙げたよう

なイメージを与えてしまうことも多いのです。

たとえば、こんな記事がありました。

> 『若手会社員、貯金は平均338万円　先行き不安反映か』
> （出典：朝日新聞デジタル　2012年10月14日付）
> （中略）人材会社インテリジェンスが、22〜34歳の会社員の貯金額を調べたところ、平均額は前年より18万円多い338万円で、調査開始から3年連続で増えた。同社は「先行きに不安を抱え、意識的に貯金する人が増えている」と分析している。
>
> 　3月にインターネットを通じて、全国5,000人を調べた。貯金額は「50万円未満」が23％で最も多く、「100万〜200万円未満」が18％、「50万〜100万円」が14％と半分以上が200万円未満。一方、「500万〜1,000万円」が12％、「1,000万円以上」が7％いて平均を引き上げた。

新聞のタイトルを見ると、いかにも若手会社員の多くが（少なくとも半分以上の人は）、先行きの不安に備えてせっせと貯金に励み、338万円に近い額を持っているような印象を受けます。恐らく、これを見た人は、自分はその338万円より上なのか下なのか、というところに注意がいってしまうでしょう。

しかし、それにはあまり意味がありません。その後本文を読むと、「半分以上（23％＋18％＋14％）の人は200万円未満、また約4分の1（23％）は50万円未満」であることがわかります。グラフにすると次ページ図2-8のようになります。

さらに、このデータだけからは判断できませんが、3年連続で平均が増えたという事実も、みなが一様に貯金を増やしたのか、一部の金持ちが、さらにお金を貯め込み、全体を引っ張り上げているのかわかりません。「平均」は1つの値に集約した結果として、このような背景も、その裏に包み隠してしまうのです。

これが、「平均」が持つ便利さと引き換えに失う視点であり、「平均」

図 2-8 若手会社員の貯金額

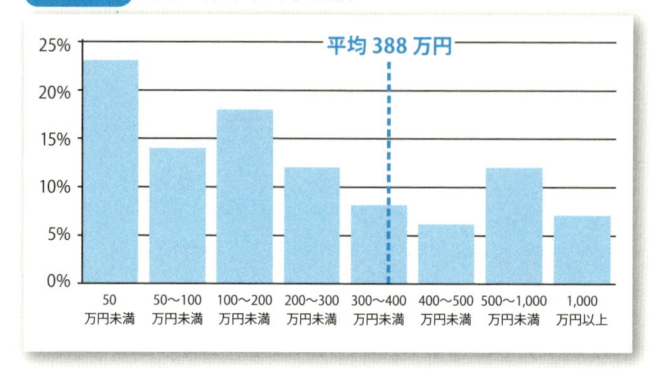

（グラフ：平均388万円）

の限界でもあります。これらを十分知った上で、うまく使いこなしたいものですね。

そのために、常に頭に置いておきたいポイントは次の2つです。
（1）平均は常に真ん中にあるとは限らない
（2）平均の周りに最も多くのデータが存在するとは限らない

　平均は、電卓さえあれば簡単に計算できます。しかし、実務では多くのデータを扱うことが多く、それらを1つ1つ手打ちしていくわけにもいきません。Excelのデータであれば、「AVERAGE関数」を使います。「AVERAGE」の後ろの（　）内にデータの範囲を指定すれば、そのまま平均値が表示されますので、積極的に使ってみましょう。

図 2-9 Excelで「AVERAGE関数」を使う

	A	B	C	D	E	F	G	H	I	J
42	33,157	48,764	37,672	31,667	35,014	46,972	30,627	41,192	42,198	37,115
43	51,271	41,194	46,119	33,732	33,375	36,470	36,457	34,955	35,140	42,361
44	34,836	52,630	50,475	38,971	46,208	41,131	30,898	31,044	52,645	53,761
45	41,249	49,981	37,856	43,234	35,553	51,712	49,482	32,153	34,794	49,774
46	40,873	44,017	43,489	44,088	53,937	48,097	51,868	38,031	34,819	39,238
47	50,508	45,662	45,643	50,443	49,840	40,069	40,245	33,414	52,250	34,434
48	33,517	44,736	53,837	31,585	35,886	36,558	47,934	41,568	42,403	35,103
49	47,930	33,050	42,932	38,056	52,612	32,063	41,257	48,036	39,387	54,424
50	40,262	47,253	36,033	40,929	51,030	33,276	37,750	38,008	38,870	38,606
51	43,049	36,979	51,116	53,565	36,988	44,689	49,367	43,096	42,472	41,760
52	39,022	38,285	50,654	45,644	48,636	44,133	42,836	35,579	37,983	39,109
53										
54	平均									
55	=AVERAGE(A3:J52)			AVERAGE（A3：J52）						

※セルに "=AVERAGE( )" と入力し、カッコの中に、データの範囲を指定すれば計算されます

「中央値」は、ポジショニングを知るヒントになる！

では、このような平均の限界への処方箋はないのでしょうか。

「（1）平均は常に真ん中にあるとは限らない」という限界に対する処方箋が、**「中央値」**です。

「中央値」とは、読んで字のごとく、「真ん中の値」のことを指します。

「真ん中の値」とは、データをその値の大きさの順に並べたときに、ちょうど真ん中に位置する値のことです。

たとえば、小さい順に「1、6、10、15、28」という5つのデータの集まりがあれば、その真ん中に位置するのは、"10"ですので、これがこのデータの中央値ということになります。

また、もしこれが「1、6、10、15」という4つ（偶数）のデータからなる場合、真ん中を挟む6と10の平均（この場合8）が中央値となります。

中央値の特徴と、そのメリットには次のものがあります。

・データの中にある極端な値の影響を回避できる

63ページの若手会社員の貯金の例では、1,000万円以上持っている少数の人が、平均を引き上げている可能性がありますが、この人たちが仮に何億円持っていたとしても、中央値がその大きさの影響を受けることはありません。なぜなら、あくまで大きさの順に並べ、その真ん中の値を示すだけなので、両端にどのような大きさのデータがあろうと中央値には関係がないからです。

中央値は値が低い（または高い）ほうからちょうど50％のところに

あるため、この例では100万～200万円未満のどこかにあるはずです。平均では388万円でしたが、中央値では200万円未満（つまり、少なくとも188万円以上の差）と、倍近い開きがあります。

元のデータが同じでも、平均、中央値のどちらを見せられるかによって、受け取る側の印象も大きく異なることがよくわかりますね。

• 中央値の上と下で、同数のデータが存在する

平均を決める要素が"データの値の大きさ"であるのに対して、中央値を決めるのは"データの数"です。中央値は、大きさ順で並べた真ん中に位置するため、それより小さいデータと大きいデータの数は同じになります。

この特徴に着目すると、データの集まりの中で、ある値のポジショニングを知る1つの指標となります。たとえば、自分が複数の競合の中で、真ん中より上位に位置付けられるのかそれとも下位なのかは、すでに紹介した通り、平均を使っては示すことができません（これができると感覚的に思っている人がなんと多いことでしょう！）。

一方、中央値を使えば少なくとも自分は真ん中より上なのか下なのかは、知ることができます。

余談ですが、人は自分が「中庸」に対してどこに位置付けられているのかを知ることで安心したり心配したりする傾向があります。このようなときに、「平均」と比べて上・下を案ずることは判断を誤るリスクがあることはもうおわかりですね。たとえば、テストの得点が平均点以上であっても、上位半分に入っているとは限りません。

ここで、57ページ図2-1で使ったD国の販売価格データの中央値も見てみましょう。

Excelの関数に「MEDIAN」（中央値という意味）があります。MEDIANのあとに、（　）を使いデータの範囲を選択すれば、その中

図 2-10 Excel で「MEDIAN 関数」を使う

	A	B	C	D	E	F	G	H	I	J
42	33,157	48,764	37,672	31,667	35,014	46,972	30,627	41,192	42,198	37,115
43	51,271	41,194	46,119	33,732	33,375	36,470	36,457	34,955	35,140	42,361
44	34,836	52,630	50,475	38,971	46,208	41,131	30,898	31,044	52,645	53,761
45	41,249	49,981	37,856	43,234	35,553	51,712	49,482	32,153	34,794	49,774
46	40,873	44,017	43,489	44,088	53,937	48,097	51,868	38,031	34,819	39,238
47	50,508	45,662	45,643	50,443	49,840	40,069	40,245	33,414	52,250	34,434
48	33,517	44,736	53,837	31,585	35,886	36,558	47,934	41,568	42,403	35,103
49	47,930	33,050	42,932	38,056	52,612	32,063	41,257	48,036	39,387	54,424
50	40,262	47,253	36,033	40,929	51,030	33,276	37,750	38,008	38,870	38,606
51	43,049	36,979	51,116	53,565	36,988	44,689	49,367	43,096	42,472	41,760
52	39,922	38,295	50,654	45,644	48,636	44,133	42,836	35,579	37,983	39,109
57	中央値									
58	=MEDIAN(A3:J52)									

=MEDIAN（A3：J52）

央値が表示されます（**図2-10**）。

平均値と中央値を比べて、「外れ値」のフィルターにする

　結果を見ると、中央値は42,349円で、平均42,377円とほとんど差がないことがわかりました。このため、大枠をつかむ目的からは、中央値と平均値のどちらを代表的な販売価格として使っても、さほど問題なさそうです。

　もし、両者に顕著な差があった場合、外れ値等極端な値が含まれている可能性があります。少数の外れ値が、平均を大きく引っ張り、中央値との差を作るからです。

　その場合、外れ値を特定し、そのデータを含める合理性の有無を考えてみましょう。合理性がはっきりしないときに、中央値を活用するのも1つの手です。

　このように、中央値と平均とを比べることが、「外れ値」など極端な値のデータの有無のフィルターとして機能することもわかりますね。

　もう1つの「平均の限界」、「（2）平均の周りに最も多くのデータが存在するとは限らない」への処方箋は、ヒストグラムという手法があります。これについては、次章で紹介します。

平均で計画の「初期判断」を行なう
予算必達のために何台売らなければならないか

　市場規模を大づかみし、その市場がそもそもビジネスの対象として適切であるのか否かの初期判断を行なうことは、その後の詳細分析に入る大前提として、とても重要です。後々詳しい分析が終わった段階で、この市場では一定期間内に投資回収ができないことがわかったり、もっと大きな市場を早めに狙うことができた、といった戦略上の基礎的な見落としがわかっても遅いからです。

　そんな大事な初期判断が、「平均」という小学生でも知っている方法でもできてしまうわけです。
　初期判断であるからこそ、このような大雑把でも効率的かつ簡便な方法が実務上ありがたいのです。なんとなくデータがあるから、とりあえず目的を持たずに平均を出しておしまい、ではもったいないですね。目的を決めて、うまく活用しようとする"戦略的な"発想は、「平均」1つ使うときにも有効です。

　では、A君は平均を用いて、どのような結論を出したのでしょうか？
　隣国Dの販売実績データから、その平均は42,377円で、中央値（42,349円）とも大差がないことが確認できました。そこで、新規市場での販売価格の前提も、この平均に準ずることにしました。
　仮にこの国の1年後の人口が2,000万人、そのうち、この価格帯の商品に手が出そうな中間所得層以上が約20％というデータが公表されていたとします。こういう一般的なデータはネット上の公的機関などから

入手することが比較的容易です。たとえば、人口動態など各種の省庁のデータは、総務省統計局の e-Stat や、国外であれば世界銀行の World Development Indicators などに集まっています。

その中で、すでに市場にいる競合、および今後進出してくるであろう競合の競争力を見ながら、1年後には、自社のシェアが（中間層全体に対して）2%であろうと想定したとしましょう。

すると、販売想定台数は、

2,000万 × 20% × 2% ＝ 8万台

となります。

これに平均 42,377 円を掛けて、42,377 円 × 8 万台 ≒ 34 億円

という売上規模が算出されました（実際には、その市場の成長率の大きさや、政治や文化、カントリーリスクなど考慮すべき事項はさらに考えられますが、詳細は割愛します）。

特定の都市が国全体の「平均」を引っ張ることも……

ここで、より実務的なアドバイスを1つ。

市場の範囲を捉えるときに、「国」はわかりやすい切り方ではあります。

でも、国の規模や国内の均一性などによっては、「国」をひと括りにして捉えると現実を見誤るリスクがあります。そしてその犯人もまた「平均」だったりするのです。

たとえば、「中国全体の1人当たり消費額」と、「上海の1人当たり消費額」とは大きく異なるはずです。

つまり、特定の「都市」が国全体を引っ張っていることが往々にしてあり、国全体の平均だけを見ていると、特定の都市の特徴が薄まってしまいます。このように都市（または地域）と国全体に大きな差がある市場については、両方のデータを確認するなどの配慮をして、データを見る必要があります。

初期に必要な投資は何年で回収できるか、を判断する

　さて、より実務に近い視点では、売上だけでなく利益を考えることも必要です。平均42,377円の売上に対して、過去の実績などからその利益率を15%と想定します。すると、1台の製品につき、42,377円×15% = 6,357円という平均利益額がわかりますので、売上のときと同じように販売個数を掛ければ、利益総額である5.1億円という初年度の利益額が見積もれます。その後の年も同様の販売・利益であることを想定すれば、**初期に必要な投資（販売店の立ち上げや、製品の開発費、人件費など）が何年で回収できるのか、**という経営上極めて重要な判断にも使えます。

　仮に、初期投資額に20億円が必要とすれば、約4年（ = 20 ÷ 5.1）で投資が回収できる想定になります（注：より厳密な投資回収理論もありますが、ここでは単純化したもので計算しています）。

　通常、事業計画を立てるときには、最低必要とされる利益額（率）や売上額の目標や予算と、予想される利益を比較し、その妥当性を検証します。

　このとき、平均を使った**「平均販売金額」を単価として使えば、「何台売れば予算に届くか」という、逆算の検証もできます。**

　仮に、初年度達成すべき利益予算額が6億円だとしましょう。

　すると、平均利益金額が6,357円なので、

6億円 ÷ 6,357円 ≒ 9.4万台

売ることが予算必達のために求められます。

　ここまで見たように、全体の規模を示すには、単価など単位当たりの大きさに、量を掛けて出すことができます。そして、その大きさを大づかみするには、平均のようにシンプルな方法を使うことで事足りることが多々あります。

ただし、「平均」には、多くのデータを1つの数値に集約するという便利さがある一方で、気を付けるべき注意点があることも重要なポイントでした。

　極端な値に平均値が引っ張られることに気付く（または避ける）ための手段として中央値の存在を頭に入れておくことはとても有効です。

　何も考えずに単純に計算で出てしまう「平均」だからこそ、常に中央値とセットで活用したいですね。

　B国が「有望市場」として社内的に認知されていただけに、それだけで参入の条件は揃っていると疑うことなく思い込んでいたA君。

　また、予算を達成するには、この市場で9万台以上を目指さなくてはいけないという大きなチャレンジであることにも気が付きました。

A君　「平均にこんな使い方があるとは知らなかったな。ともかく市場の概要はつかめたみたいだ。明日、上司に報告しよう」

コラム 公開されているデータを使うときの注意点

　本章で紹介した、「ありもの」のデータをなんとか活用する以外にも、一般に公開されているデータをそのまま使うケースもあります。その多くは次のカテゴリーに入るものが多いと思います。

（1）公的機関が公に発表しているもの
　無償で使えるものが多い。データの信頼性は高いものの、特定の製品やブランド、企業などに特化したものではないことが多い

（2）特定の業界や製品等について、個人やコンサルなどが公開・提供しているもの
　ある分野に特化している点では、実務で使える可能性がある。ただし、データの出所や、算出の前提などが明確でないなど、信頼性の点では玉石混淆（こう）とも言え、そのまま使うことによるリスクがある

　実務においては、業界、製品、市場など、直接自社についての検討をするケースが多いものです。そのため、一般に公開された情報をそのまま使って、目的に直接適う結果が出せることは稀です。たとえば、「国別のサイクロン掃除機の市場規模」を知ろうと思っても、そのものの情報を見つけるのは至難の業です。仮にネット上で見つけたとしても、信頼性のリスクがあります。
　結局、自社に関するデータだけを使って、もしくは一般に公開されたデータと自社データとの組み合わせで、なんとかほしい答えに辿り着くことが多い、というのが私の実感です。
　たとえば、「どの年代のどの性別の人がメインユーザーか」といった情報は、社内の他市場の情報が入手できるでしょう。一方、「その国のその年代の人は何人か」といった一般情報は、公開データで最新値を得ることが合理的です。この2つの掛け合わせで、自社がターゲットとする市場のパイの大きさがつかめますよね。

第 3 章

リスクをどう見積もるのか
標準偏差とヒストグラム

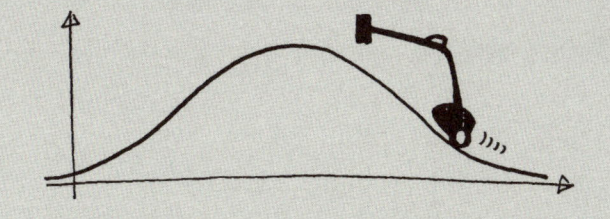

予想通りにいかない
"リスク"を示す

A君「平均を使って、ざっくりと市場を見るだけでも、B国は、実はみんなが思っているほど簡単な市場ではなく、かなりチャレンジングなビジネスなんだってことがわかりました。でも9万台、絶対無理ということもないと思います」

上司「そうだな。無理な市場ではないが、決して甘くはないぞ。ところで、この9万台で目標達成ということだけど、本当に9万台以上売れればOKなんだろうか？」

A君「どういうことですか？ 計算上間違っていないはずですが……」

　A君は、またしても煙に巻かれたような気持ちです。

上司「計算も大切だけど、"現実的にはどうなのか？"ということを聞いているんだ。もし、役員に対して『9万台の計画でやります。予算はこれで大丈夫です』と提案したときに、『本当に大丈夫なんだろうな？』と聞かれたら、何と答える？　販売店が我々の計算通りの価格で売ってくれるという保証はどこにもないぞ」

　当然のことに気付いたA君。

A君「まったくもって、その通りですね……」

上司 「ビジネスは精神論や根性論じゃないんだから、ここで『頑張ります』なんて言っても意味がない。計画に対して、どのようなリスクがあるのかを知ることも、重要なビジネスの判断には欠かせないことをしっかり覚えてほしい」

A君 「確かに、実際には計算通りにならないかもしれませんね。平均というシンプルなことしかやらなかったし。なんだか心配になってきました」

上司 「平均は、たくさんのデータを平均値1つにまとめた結果として、確かに便利な指標にはなる。でも実はそこにこそ盲点が潜んでいるんだ。つまり、元のデータの個々の値を全て隠してしまったんだよ。元のデータには色々な値があったよね。これがデータの"バラつき"なんだ。実際の世の中は1つの数値だけで回ってるわけじゃないからな。このバラつきが、最終結果に対するリスクを引き起こす大きな要因の1つだと考えてもらえばいい」

A君 「D国の販売データにも色々数値がありました。全て同じ値段で売れているわけでもなく、もし、みんなが最安値で売ったら9万台でも足りなくなりますね」

上司 「『自分たちの計画にはリスクがあります』というコメントだけもらっても、どういうリスクがどのくらいの大きさであるのかが見えないと判断材料としては不十分だ。だから、**できるだけ見える形でそのリスクを示してあげることが重要**だよ」

A君 「わかりました。でも、どうやって？」

上司 「今回のヒントは、**標準偏差**だよ」

A君 「あの、受験とかで使われるヤツですか？」

上司 「そうそう。では、早速見ていこうか」

標準偏差で、リスクをあぶり出せ
「本当に計画通りにいくの？」の疑問に応えるために

　ビジネスの世界に限らず、世の中なかなか計画通りにはいかないものですよね。計画通りにいかないことを考慮しておくことは、事業の計画において極めて重要なポイントです。なぜなら、いくら精緻可憐な計算の上に成り立った事業計画でも、実際にはその通りになるとは限らないからです。先のストーリーで、平均で満足していたA君に、上司が指摘を入れたのも当然と言えるでしょう。

　第2章で見たように、平均を使ってラフに全体の大きさを推し量るようなケースでは、あえて個々のデータに着目するのではなく、「平均」という集約された1つのデータの大きさを効率的に活用することがポイントでした。
　ところが、データの大きさを平均に集約することで、大雑把にその大きさがつかみやすくなった反面、集約する前の個々のデータが持つ大きさの違いが隠れてしまいます。
　この個々に大きさの異なるデータがどのように存在（分布）しているかを示すものが、"バラつき"の情報です。62ページの図2-5～図2-7で見たように、仮に平均値が同じであっても、元のデータのバラつき方には、様々なバリエーションが考えられます。
　A君の事業計画でも、もし、想定した平均販売価格よりも低い価格で販売される可能性を無視した計画を作ってしまうと、それは「見えないリスクを背負った『絵に書いた餅』」にしかならないでしょう。
　「本当に計画通りになるの？」という上司の指摘に応えるためには、このリスクが計画のどの部分（たとえば売上）に潜んでいて、それはど

のようなものなのか、また、それによって、結果にどの程度の影響があるのかを示す必要があるのです。

そのためには、「バラつき」の度合いを、なんとか、見える形にしないといけませんね。

標準偏差を使って、バラつきを数値化しよう

複数のデータがあるときに、各データの値のバラつきを示す統計手法の1つが標準偏差です。

「バラつきが大きい」とは、小さい値から大きい値まで、広い範囲でデータが存在していることを指します。

視覚的なイメージで示すと、次ページ図3-1のようになります。

この図では、各データが平均からどれくらい離れているかがわかりますね。この各データと平均との差を「偏差」と言います。式で表わすと、(偏差＝各データ － 平均値) となります。

次に、そのデータが全体としてどれだけバラついているかを示す指標の1つとして分散があります。これは、各データの偏差の2乗の総和をデータの数で割って計算します。

なぜ2乗かと言うと、これは計算上の問題でもあります。

データには、平均よりも小さいものと大きいものがありますよね。だから単純に偏差を足して、データの数で割ると、偏差に±が混在しているため、平均からの距離の総和になりません。たとえば、平均が4であるとき、6と2というデータの偏差の総和は0［＝（6－4）＋（2－4）］になってしまいます。そこで、2乗して計算するのです。

でも、2乗していますから、このままでは、使いにくいのです。そのため標準偏差では、これを√（ルート）に入れます。こうして、±の影響を排除して、平均からの距離の総和をうまく抽出することで「そのデータの全体がどのくらいバラついているのか」を表わせるようにしてい

ます。

　式でまとめると、こんな感じになります。

偏差＝各データ　—　平均値
分散＝（偏差）² の合計／データの数
標準偏差＝√分散

左右対称な「正規分布」でわかること

　図3-1や図3-2のように、平均に近い値のデータが多く、そこから離れるにしたがってデータの数が徐々に減っていくような分布を**正規分布**と呼びます（よく標準偏差の説明に使われますね）。あくまでこれは、完全に左右対称で、きれいな釣鐘型をした、理想的なデータの分布ですが、標準偏差のイメージをつかむためにはもってこいです。

　データのバラつきが正規分布に近い場合には、平均から左右に標準偏差1つ分離れた値までに、全体の約3分の2のデータ数が収まっている、ということが言えます。つまり、標準偏差が15と言われたら、データ全体の3分の2が、平均値からプラスマイナス15の範囲に入る、ということです。

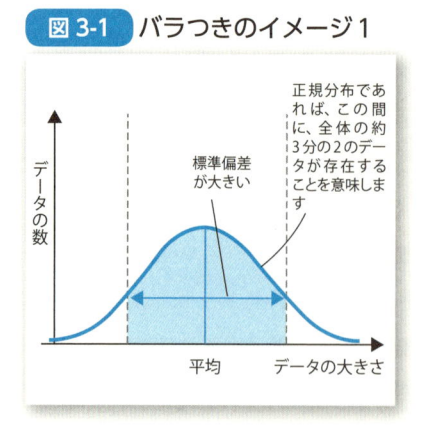

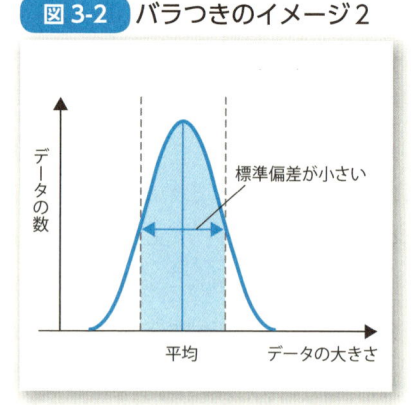

図3-1 バラつきのイメージ1

正規分布であれば、この間に、全体の約3分の2のデータが存在することを意味します

標準偏差が大きい

データの数／平均／データの大きさ

図3-2 バラつきのイメージ2

標準偏差が小さい

データの数／平均／データの大きさ

「バラつきが小さい」とは、ある値周辺に多くのデータが集まっていることを指します。図3-2のようなイメージです。図3-1に比べて、データの約3分の2が収まっている範囲も狭いですよね。すなわち、標準偏差は、図3-1の分布よりも小さい値になることが想定できます。

具体的な例で見てみましょう。

ある小型の店舗で、来客数を30日間毎日モニターしたとします。そのデータから計算した結果、その月の1日の平均来客数は34.5人、標準偏差は14.6人とわかったとします（図3-3）。

すでに紹介した通り、もしこのデータの分布を正規分布とみなすことができれば、平均から±14.6人の間に、全体の約3分の2が収まっています。つまり、標準偏差の値の大きさをそのまま使って、「全データの約3分の2が収まっている範囲」を調べることができるわけです（すなわち、19.9（=34.5 − 14.6）から49.1（=34.5+14.6）の間にデータの約3分の2があるということです）。これはどういうことかと言えば、あくまで正規分布を前提とすれば、30日間のうち約20日間は、来客人数が、19.9人から、49.1人の範囲になっている、ということです。

図3-3 標準偏差で示される「来客数」の幅

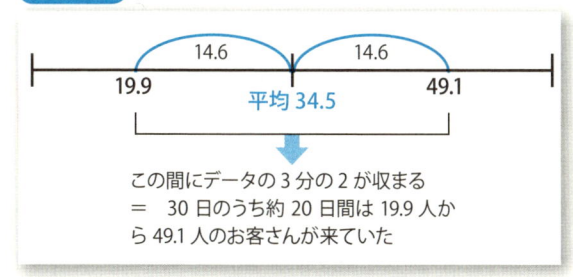

```
        14.6       14.6
    ├────────┼────────┤
   19.9              49.1
       平均 34.5
    ├─────────────────┤
```

この間にデータの3分の2が収まる
＝ 30日のうち約20日間は19.9人から49.1人のお客さんが来ていた

標準偏差で経営の安定感がわかる

では、この標準偏差は、実務においてどのような場面（使い方）で活躍するのでしょうか？

図 3-4 標準偏差と経営の安定感

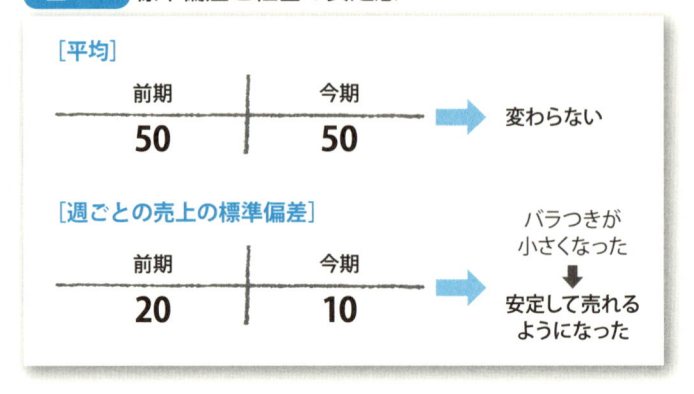

[平均]

前期	今期
50	50

→ 変わらない

[週ごとの売上の標準偏差]

前期	今期
20	10

→ バラつきが小さくなった ↓ 安定して売れるようになった

　標準偏差の最大の特徴は、平均には表われないデータのバラつきの大きさをラフに把握できることです。それによって、たとえば「このデータはバラつきが極めて大きいので、平均だけを頼りにするのは危険ですよ」とか、「この店の売上は平均額では大きな変化はなかったが、昨年度に比べて週ごとのバラつきが減り、販売が安定してきた」などといった判断をサポートしてくれます（図3-4）。

　一例として、毎月の平均売上額が500万円という店舗があったとします。平均500万円とだけ聞くと、それなりに安定して売上があるように見えますが、その店舗の標準偏差が350万円だったとしたら、どうでしょう。標準偏差350万円ということは、500万円プラスマイナス350万円の範囲で、それなりに多くのデータが推移しているということです。

　私なら（350万円の500万円に対する大きさから）リスクの大きい商売だなと感じますし、「本当にこのお店の売上額として500万円という数字を計算に使ってよいのだろうか」と考えてしまいます。逆に、標準偏差が30万円であれば、この店の代表的な利益額を500万円とすることに、違和感はさほど感じないでしょうし、標準偏差350万円のお店と比べ、より安定した商売だと見なすでしょう（350万や30万の厳密な評価はできないので、あくまで感覚的な評価です）。

標準偏差をExcelで求める（STDEV関数）

標準偏差を計算するには、平方根を含む、少々複雑な公式を使います。とはいえ、実務上この公式を覚えてその通りに手計算することは必ずしも必要はありません。むしろ一発で答えの出るExcelの関数（STDEV）を使うことがほとんどです。

Excelの関数をダイレクトに使う、もしくは下記の操作で簡単に標準偏差を求めることができます。

STEP 1 ブランクのセルを１つ選び、「=STDEV（ ）」と入力
STEP 2 （左クリックをしながら）データがある範囲を選ぶ（その範囲が関数の（ ）に表示されます）
STEP 3 ENTERを押すと、セル内に標準偏差が表示される

図 3-5 Excelの「STDEV関数」で標準偏差を計算する

販売価格（円換算）									
33,601	56,554	42,944	56,817	41,125	31,539	51,338	44,824	45,747	51,140
48,848	34,085	44,866	42,015	55,582	29,576	50,857	39,214	54,047	48,017
35,468	28,090	54,353	46,126	34,482	39,314	53,446	43,840	54,144	42,712
39,514	30,963	52,027	28,431	48,132	35,232	46,948	55,203	52,559	39,999
29,589	35,316	47,915	30,420	31,228	54,640	46,061	50,320	54,315	42,653
30,511	29,190	39,924	32,072	29,213	28,429	27,418	40,100	49,008	30,783
41,812	48,263	28,903	53,701	31,126	32,279	53,861	41,024	44,461	57,897
39,741	29,659	46,156	50,968	30,359	54,775	52,733	42,475	51,074	30,453
56,323	48,403	55,748	35,143	43,967	31,086	48,271	49,763	57,941	55,890
36,491	57,359	42,040	43,647	29,281	27,702	57,475	35,515	57,823	40,386
29,883	46,747	47,173	55,981	43,264	36,274	40,609	29,577	55,923	45,461
54,904	53,505	48,053	56,412	37,437	49,325	49,234	45,269	41,167	50,106
34,187	29,529	27,884	42,691	49,437	29,123	28,111	54,786	42,783	38,342
56,175	47,791	50,307	55,351	53,152	45,603	57,784	37,527	48,196	43,795
53,754	48,628	43,977	40,508	48,147	40,075	50,508	33,372	53,966	55,380
40,473	48,621	54,637	44,820	40,140	29,046	54,562	54,180	50,234	27,648
53,950	48,340	44,819	40,058	50,629	42,587	48,969	49,737	37,656	31,443
標準偏差 STDEV		平均	AVERAGE						
8,937		42,948							

STDEV（A3：J52）

第3章 リスクをどう見積もるのか 標準偏差とヒストグラム

標準偏差をビジネスで使うには
相対比較や標準化で比較する

　では、算出された標準偏差の値をどう評価すればよいのでしょうか？
　実際には標準偏差の値そのものを単独で、実務上意味のある（何かの価値を生む）情報として使うのはとても難しいと感じています。その主な理由は次の通りです。

- **実際には、世の中のデータがみな正規分布しているわけではない**

　標準偏差の値そのものから、データがどのような分布（分散していたり、偏っていたり）しているかを読み取ることはできません。そして、分布の形状によっても、標準偏差の値は大きく影響を受けます。
　一例として、図3-6と図3-7をご覧ください。両者とも、横軸の90の幅に全てのデータが収まっています（分布の形状に差はあるものの、バラつき全体の幅は同じです）。

　図3-6は正規分布に近く、平均±標準偏差の範囲にあるデータ数も理論値に近い67%を占めています。
　一方、図3-7は、正規分布と見なすには無理がありそうな分布をしていますね。こちらは、標準偏差の値そのものは図3-10より大きいにもかかわらず、平均±標準偏差の範囲には51%しかデータが含まれません。このように、分布が大きく異なると、標準偏差だけで、データの散らばりの度合いを単純に評価・比較することは難しいことがわかります。
　なお、多くの統計を解説する本は、標準偏差について、正規分布を前提として説明しています。また、実務上、とりあえず簡易的に正規分布と見なすケースも多々あり、そこは目をつぶるという考え方もあります。

しかし、極端に違う分布をしている場合、結果を見誤るリスクがあることも知っておきましょう。

図 3-6 正規分布に近いデータ

平均：58.1
標準偏差：17.9
67%

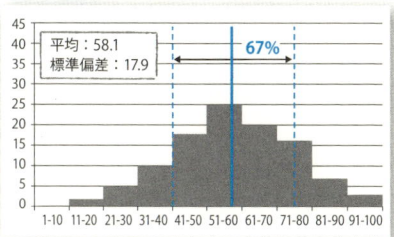

図 3-7 正規分布でないデータ

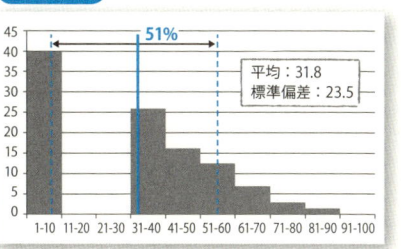

51%
平均：31.8
標準偏差：23.5

- 「標準偏差×○個分」の実用的な意味付けが難しい

仮に正規分布と見なして、3分の2のデータが収まる範囲がわかったところで、3分の2という範囲に実務上何かしらの意味付けができない限り、その解釈の有効な使い道がありません（平均±2標準偏差の間には、約95%が入りますが、これとて95%の意味付けなしには、直接使いにくいものです）。

- 前提の異なるデータ間の比較が難しい

たとえば、小型の店舗と大型の店舗両方において、来客数を30日間モニターしたとします（次ページ**図3-8**）。

小型店舗と大型店舗では、規模の違いから当然その平均値が違うのですから、標準偏差も異なりますね。

たとえば、この2つの店舗をそのまま比較して、「大型店舗の標準偏差223.8は小型の14.6より大きいので、大型店舗のほうがバラつきが大きい」という結論にはなりません。なぜなら、大型店舗のほうが、個々のデータの値も大きいため、同じようなデータのバラつき方でも、その標準偏差が自ずと大きく算出されるためです。つまり、両者の前提が異なるのです。

また、毎日平均10,000人が来店するデパートの標準偏差が600人であるケースと、平均300人が来店する個人商店の標準偏差150人を比べ

図 3-8 小型店舗と大型店舗の来客数

小型店舗 A の来客数（人／日）

16	51	57	23	13	34
43	28	21	55	37	26
10	59	20	53	40	42
28	50	39	15	46	34
19	29	43	18	33	54
平均	34.5				
標準偏差	14.6				

大型店舗 B の来客数（人／日）

640	326	316	342	142	676
572	678	478	172	672	650
393	120	284	766	359	339
753	205	454	502	794	147
738	684	286	641	105	234
平均	448.9				
標準偏差	223.8				

元々の値の大きさが違うので、標準偏差の値も違う

てみましょう。150 人は 600 人よりも、数としては小さいですが、ベースとなるデータの大きさ（10,000 人や 300 人）が違うため、そのバラつきの度合いは、圧倒的に個人商店のほうが大きいことになります。

この場合、600 と 150 とを単純に比較して大小を論じても意味がないことがわかりますね。

このように使い方が難しい中でも、実用的な活用法があります。

①同じ前提で相対的に比較する（ex. 同じ店舗の中で比較する）

たとえば、先ほどの小型店舗の来客数の例で、翌月以降もこのモニターを続けたらどうでしょう。

その結果、仮に翌月の 1 日当たり来客数の平均が 38 人、標準偏差が 12 人、さらに翌々月は、平均 45 人、標準偏差 10 人と推移していれば、次のようなことが言えるのではないでしょうか。

「毎月、来客者数が増え、同時に日によるバラつきも減り、コンスタントに来客数を稼げるようになっている」

この場合、標準偏差の「12」という値の大きさそのものを評価してい

るのではなく、**同じ店舗という同じ前提の中で、比較している**ことに着目してください。

　標準偏差は、そもそもデータの大きさの違いや、分布の形状の違いから、他のデータ（たとえば、A国の売上とB国の売上等）と比較しづらい面はありますが、同じ対象について、時系列などで見ていく場合などには、有効に使うことができます。

　また、80ページの平均売上額500万円の店舗の例でも示した通り、平均値と比較した標準偏差の大きさからバラつきの大小をラフにつかむことにも使えるでしょう。

　このように比較の中で相対的に標準偏差を利用するのは、有効な使い方だと思います。

　他にこんなことにも標準偏差が使えるかもしれませんね。

- **同じ規模のチェーン店舗間で日々の来客数や売上のバラつきを比べる**
    - → バラつきが大きければ、それだけ経営リスクが大きい店舗かもしれません
- **同じ商品の日々の販売数を調べる**
    - → バラつきが大きければ、たまたま買われた結果に過ぎないのかもしれません
- **同じ営業担当者で月ごとの実績を調べる**
    - → バラつきが大きければ、営業マンの能力がコンスタントに発揮されていない可能性があります。底上げのためのトレーニングなどが必要かもしれませんね

②「平均からどれだけ離れているのか」でリスクの大きさを比較する（標準化係数）

　一方、標準偏差にひと手間加えた、別の応用的な使い方もあります。先の大小の店舗のように、前提が異なる2つのデータ間でも、**個々の**

データがどのくらい平均から離れているのか、を同じ土俵で比較することができるのです。

具体的には、図3-9の中で、たとえば小型店舗での最大来客数59人は、大型店舗での最大来客数794人の来店と比べて、どちらがより特殊な（平均から離れた）ことなのかを、標準偏差を使って比較することができます。一般論として、「**特殊なこと＝リスク**」と捉えれば、**これは事業のリスクの大きさの尺度と考えられます**（ただ、常に「リスク＝悪」とは限りません。ハイリスク・ハイリターンを狙うビジネスもあるためです）。

このためには、次の式を使い、標準化係数と呼ばれるものを計算します。

標準化係数　＝　（データ　－　平均）　÷　標準偏差

この式が示す通り、標準化係数とは、あるデータの平均からの距離が、標準偏差何個分に相当するのか、を示したものになります（図3-9）。

図3-9 標準化で小型店と大型店のデータを比較する

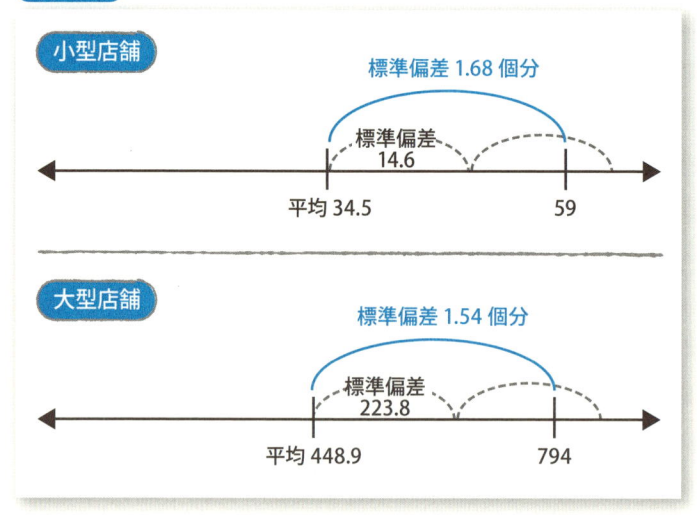

小型店舗
標準偏差 1.68 個分
標準偏差 14.6
平均 34.5　　59

大型店舗
標準偏差 1.54 個分
標準偏差 223.8
平均 448.9　　794

これがわかれば、たとえ単位が全く異なるデータ同士であっても、個別データの平均からの乖離度合い（散らばり度合い）を、「標準偏差何個分」という単位に置き換えて比較することができます。この置き換え操作を、標準化または正規化と呼びます。

　標準化係数の応用例の1つが、みなさんご存じの「偏差値」です。得点の大きさそのものではなく、受験者全体の中で、平均からどのくらい離れた位置にいるかを示す指標のことで、国語でも数学でも物理でも同じ指標が使われますね。実務でも営業マンごとの売上成績や、特定商品の店舗ごとの成績を比較することなどに使えるかもしれません。

　標準化係数を用いて、小型店舗の59人の来店と、大型店舗の794人の来店とを比較すれば、それぞれ標準偏差1.68個分と、1.54個分の距離であり、平均からの乖離度合もほぼ同じであることがわかります。このケースでは、平均449人に対する794人の来店は、平均35人に対する59人の来店と（それぞれの値の大小に惑わされずに）ほぼ同様に捉えることができるわけですね。

バラつきをリスクとして評価する

　標準偏差や標準化係数も、数値を出したところで終りではなく、それを実用的に活かしてはじめて価値ある情報となります（"統計学"の解説では、ここに至る前の、指標算出の段階で終わってしまうものが多いのです）。
　では、リスクという観点から、次の2つの応用を考えてみます。

（1）相対評価：他のデータと比べてどちらがリスクが大きいか
　他のデータのバラつきと比べて「大きい」、「小さい」という、"相対的"な評価を行ないます。
　「バラつき」をビジネスの世界の言葉に置き換えれば、それは「リスク」にほかなりません。「バラつきが大きい＝リスクが大きい」と読み替えることができます。
　一般的に「リスク」という言葉はネガティブな意味で使われることが多く、その意味では「リスク」は小さいほうがよい、と思う方が多いでしょう。でもビジネスでは、マイナス面だけでなく、プラスに振れる場合もリスクの1つです（なぜなら「バラつき」はプラス・マイナス両方に振れることだからです）。「ハイリスク・ハイリターン」のように使われることもあり、「リスク」は必ずしも悪いことを意味しません。

（2）リスクのインパクト量の推定：起こり得るバラつきの影響を数値化する
　バラつきが、どの程度の影響を及ぼし得るのかを推定します。
　たとえば、販売価格のバラつきにより、総売上額にどのくらいの差異

が生まれるのか、ということを見るときに使います。

まず（１）の相対評価について、A君のケースを使って考えてみましょう。

図3-10はB国で、競合がサイクロン掃除機を販売した500個の価格実績データから、その平均販売価格と標準偏差を算出したものです。

先に紹介した、STDEV関数（81ページ）を使うと、8,937円という標準偏差が簡単に求められます。ちなみに平均値は42,948円です。

A君は、自社の製品がまだB国市場に進出していないため、すでにサイクロン掃除機で進出を果たした隣国Dの自社データを使いたいと考えています。D国のデータをB国のものとして代用するためには、その裏付けとしても、少なくとも同じような価格で、近いリスクであることを確かめておく必要があります。

そこで、競合他社の隣国Dでの同時期の販売実績データを、同じく500個集め、次ページ図3-11のような結果が出たとしましょう。

あくまで競合のデータではあるものの、少なくとも両国の販売傾向に

図3-10 B国での競合のサイクロン掃除機の販売実績

B国での競合のサイクロン販売実績
販売価格（円換算）

33,601	56,554	42,944	56,817	41,125	31,539	51,338	44,824	45,747	51,140
48,848	34,085	44,866	42,015	55,582	29,576	50,857	39,214	54,047	48,017
35,468	28,090	54,353	46,126	34,482	39,314	53,446	43,840	54,144	42,712
39,514	30,963	52,027	28,431	48,132	35,232	46,948	55,203	52,559	39,999
29,589	35,316	47,915	30,420	31,228	54,640	46,061	50,320	54,315	42,653
30,511	29,190	39,924	32,072	29,213	28,429	27,418	40,100	49,008	30,783
41,812	48,263	28,903	53,701	31,126	32,279	53,861	41,024	44,461	57,897
39,741	29,659	46,156	50,968	30,359	54,775	52,733	42,475	51,074	30,453
56,323	48,403	55,748	35,143	43,967	31,086	48,271	49,763	57,941	55,890
36,491	57,359	42,040	43,647	29,281	27,702	57,475	35,515	57,823	40,386
29,883	46,747	47,173	55,981	43,264	36,274	40,609	29,577	55,923	45,461
54,904	53,505	48,053	56,412	37,437	49,325	49,234	45,269	41,167	50,108
34,187	29,529	27,884	42,691	49,437	29,123	28,111	54,786	42,783	38,342
56,175	47,791	50,307	55,351	53,152	45,603	57,784	37,527	48,196	43,795
53,754	48,628	43,977	40,508	48,147	40,075	50,508	33,372	53,966	55,380
40,473	48,621	54,637	44,820	40,140	29,046	54,562	54,180	50,234	27,648
53,950	48,340	44,819	40,058	50,629	42,587	48,969	49,737	37,656	31,443

| 標準偏差 | STDEV | | 平均 | AVERAGE | | | | | |
| 8,937 | | | 42,948 | | | | | | |

図3-11 B国とD国の標準偏差と平均

	B国の競合データ	隣国Dの競合データ
標準偏差	8,937 円	8,965 円
平均	42,948 円	42,713 円

大きな価格差、およびリスクの差があるようには見えませんね。

この結論を自社にも適用できると考えれば、A君も自社の隣国Dのデータを使うことに少し安心できそうです。

もし仮に、B、D両国の平均価格が同じであっても、標準偏差（＝販売価格のバラつき）に、顕著な差が認められれば、この2つの市場にはリスクの面から大きな違いがあることになり、安易に一方の市場のデータをそのまま他方に適用することはできないでしょう。

バラつきを定量化してビジネスへの影響を探る

さて、ここまで標準偏差を使ったバラつきの度合いについて考えてきましたが、バラつきを標準偏差という指標で示したとしても、その結果としてどのくらいビジネスへの影響があるのか、を把握することも必要ですよね。経営者の視点からは、最悪の場合でも100万円のマイナスリスクで済む話なのか、1億円なのかを知らずに判断はできません。

そのためには、標準偏差だけでは、バラつきによる影響の大きさを定量化することが必要になるのです。

そこでもし、どの程度のバラつきが出るかをある程度把握できれば、合理的に最悪のケースと、平均的なケースなどを想定して、シミュレーションすることもできます。

それが次のヒストグラムの項目で見る、リスク評価の2つ目の応用、「（2）リスクのインパクト量の推定」です。

「ヒストグラム」でバラつきを視覚化する
データの全体像を把握するために

　標準偏差の値はバラつきを表現するとはいえ、その値だけではバラつきの"様子"を感覚的にイメージできないことに物足りなさを感じた人もいるのではないでしょうか。

　標準偏差やデータ分析に限らず、一般論として、「人は数値そのもの（つまりデジタル）では、イメージを持ちにくい」ものです。

　そのためには、バラつきの様子をアナログで視覚化するしかありません。

　そこで使われるのが、ヒストグラムです。

　ヒストグラムにおいて、データのバラつきは、「どの大きさのデータがいくつあるのか」で示されます。

　つまり、次の２つの要素にバラすことができます。

１）データの値の大きさの範囲
２）大きさの範囲に入るデータの数

　この２つの要素をそれぞれ横軸、縦軸にして棒グラフにしたものが、「ヒストグラム」です。データの散らばりを可視化する手法として使われます。

　ヒストグラムでは、「データの値の大きさ」を横軸に取るのですが、個々のデータの値をそのまま使うのではなく、ある大きさの範囲ごとに区切り、その区切られた範囲（階級と呼びます）ごとにデータの数をカウントします。これでどの範囲に、どれだけデータがあるかがひとめでわかります。

図 3-12 販売価格ヒストグラム（15 分割）

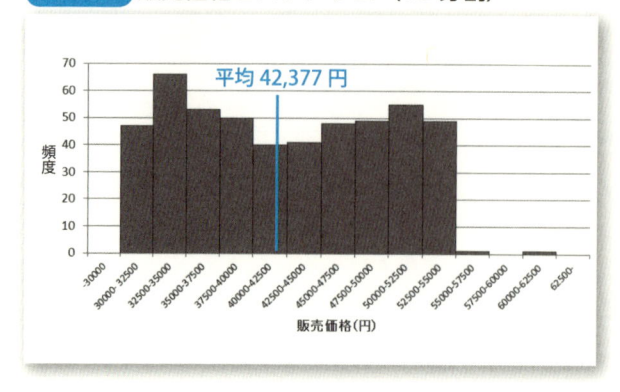

[ヒストグラム：平均 42,377 円]

　ここでは、データ全体が存在する幅がリスクの幅、データの数がリスクの確率の大きさを代弁しています。

　たとえば、**図 3-12** でしたら、リスクの幅は 30,000 から 62,500 で、それぞれの柱の大きさがそれが起こる頻度（確率）となります。

　ヒストグラムを作るときには、階級の幅をどの大きさに取るかが 1 つのポイントになります。

　細かく分割すればするほどきめ細かいバラつき具合が表現されますが、やり過ぎるとかえって見づらいグラフになってしまいます。逆に、分割数が極端に少なく、粗過ぎると散らばりの様子が見えにくくなってしまいます。

　つまり、データの見やすさやそこから引き出せる情報の質を最適にするには、程よい分割度合いが求められるのです。

　たとえば、D 国の販売データをヒストグラムにしてみましょう。

　この場合、最安値は 30,297 円、最高値は 60,872 円になりますので、おおよそ 3 万円（=60,872 − 30,297）の範囲にデータが収まっていることがわかります（ちなみに Excel では、指定した範囲のデータの最小値を MIN 関数で、同じく最大値を MAX 関数で求めることができます）。

　同じデータを 3 つの異なる分割数で区切った例で見てみましょう。

次ページ図3-13から図3-15は、データをそれぞれ9分割（5,000円ごと）、15分割（2,500円ごと）、33分割（1,000円ごと）したヒストグラムです。

　元は同じデータであっても、見た目の印象と、読み取れる情報に違いがあることが実感できますね。たとえば、図3-14では、左右両端のデータ数が一段下がることが読み取れるものの、図3-13では、その特徴は紛れ込んでしまいます。図3-15では、確かに細かくバラつきが示されるものの、逆に全体の特徴はつかみにくくなってしまいました。

　しかし、どれが絶対的に正解、ということはありません。目的やケースによって、最適な分割数を見極めることが求められます。

　一例として、このケースでは、図3-15のような1,000円ごとの区切りは、約40,000円の平均に対して、約2.5%（=1,000÷40,000）の単位で区切ることを意味します。販売価格の2.5%の違いが重要かどうかと考えれば、本ケースではさほど重要ではなく、誤差範囲とも考えられます。その結果、33分割では過剰という結論になるでしょう。

分割数の目安となる3つの考え方

　一方、一般的に提唱されている分割数の目安となる考え方も、一応存在します。その中から3つの考え方を紹介します（データが500個ある場合）。

（1）分割数＝$\sqrt{(データの数)}$　→　$\sqrt{500}$
（2）分割数＝1＋LOG（データの数）/LOG（2）
　　　→1＋LOG（500）/LOG（2）
（3）分割数＝10〜20　→　常に10〜20

　LOGは、エクセルのセルに「=LOG（データの数）」、ルートは、「=SQRT（データの数）」を入力すれば、すぐに計算できます。

図 3-13 販売価格ヒストグラム（9分割）

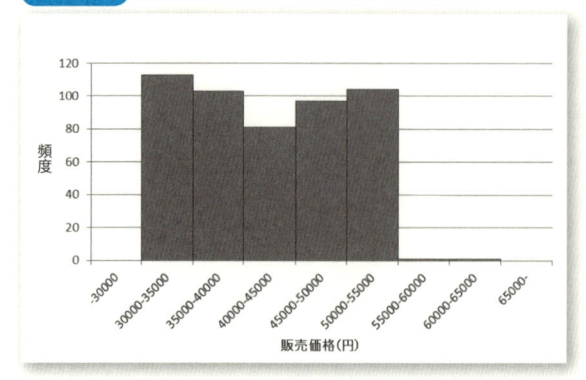

図 3-14 販売価格ヒストグラム（15分割）

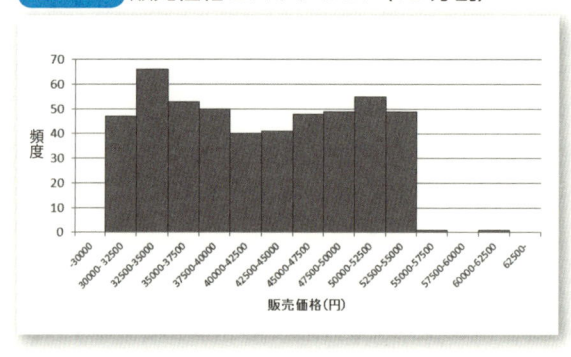

図 3-15 販売価格ヒストグラム（33分割）

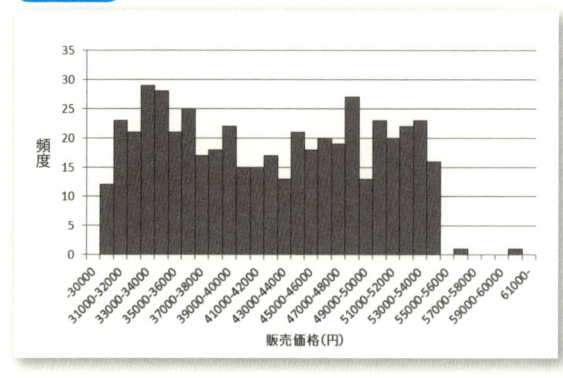

たとえば、500個のサンプルデータをヒストグラムにする場合、上記3つの考え方から計算した分割数はそれぞれ、（1）約22分割、（2）約10分割、（3）10〜20分割、となります。

3つの考え方でこれだけの違いが出ますが、これらはあくまで参考値とし、ケースごとに合理的なものや、見やすいものを最終的に選ぶようにしましょう。この範囲で選ぶ限り、ヒストグラム自体に大きな差が生まれることは少ないので、あまり神経質になる必要もないと思います。

先のD国の販売価格の例でも、10と20のちょうど真ん中である15分割した図3-14が一番見やすいと思いますが、みなさんはどう感じられるでしょうか？

適切に分割するためには、

「見にくく（説明しにくく）ならないよう細か過ぎず、データが埋もれてしまわないよう粗過ぎず」

という落としどころをうまく見つけることです。そのために、いくつかのパターンを作って見比べてみるのも1つの手かもしれませんね。

参考までに、（1）と（2）の考え方における、データ数と分割数の関係を図3-16、図3-17に紹介します。データがこのくらいのときは、このくらいの分割数がよい、ということを示しています。公式を知っているだけだと、すぐにパッと使えないこともありますので、ぜひ目安としてください。

図3-16 分割数＝$\sqrt{（データの数）}$

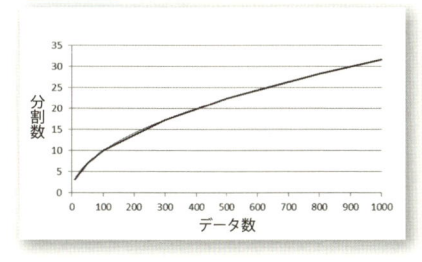

図3-17 分割数＝$1 + LOG（データ数）/LOG2$

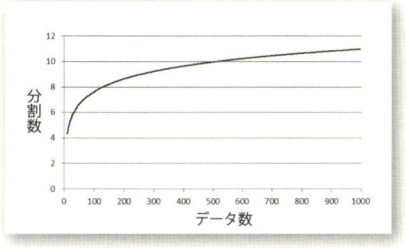

Excelでヒストグラムを作る

Excelでのヒストグラムの作り方にも触れておきましょう。

残念ながらExcelでは、ヒストグラムを一発で作る方法がありません。まずデータ区間（階級）ごとに存在するデータの数をカウントし、それを棒グラフに表わすという2段階のステップが必要になります。

準備 使用したいデータの横に、データ区間の境界となる値（この値が、その区間の最大値になります）を入力しておきます（30,000、32,500、35,000……と区切りたい場合は、図3-19右側のようになります）。

STEP 1 データ数のカウント（度数分布表の作成）

Excelのアドインに入っている「データ分析」を選択します（Excelのバージョンによって、「データ分析」への辿り着き方が異なりますので確認してください）。

「データ分析」のウィンドウの中から「ヒストグラム」を選択します（図3-18）。

出てきたウィンドウの「入力範囲」にデータの範囲を、「データ区間」に、インプットしておいたデータ区間の境界となる範囲を指定します（図3-19）。あとは、結果を表示する場所を「出力先」に指定することで、自動的に図3-20のような結果を得られます。

このように、データ区間ごとにデータの数を表わしたものを度数分布表と呼びます。

図 3-18

[データ分析ダイアログ：分析ツール一覧から「ヒストグラム」が選択されている]

図 3-19

A3:J52 などと範囲を指定
（＄は自動的に入ります）

データ区間を
入力

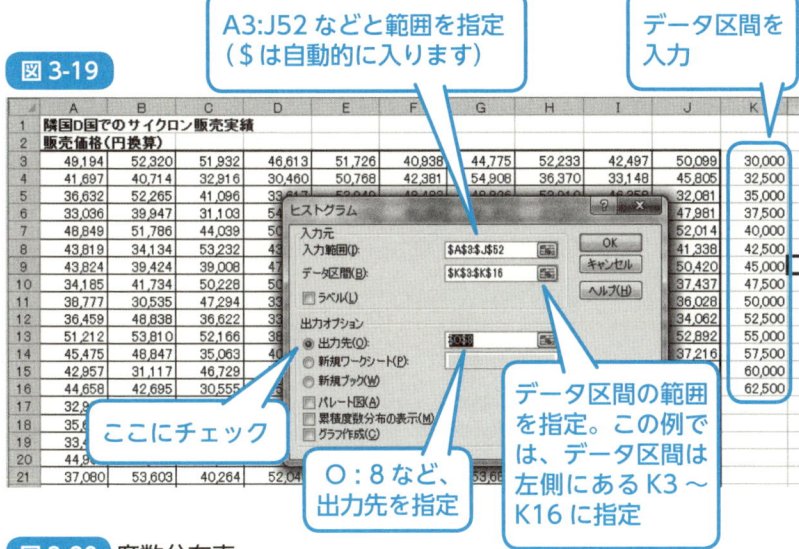

	A	B	C	D	E	F	G	H	I	J	K
1	隣国D国でのサイクロン販売実績										
2	販売価格（円換算）										
3	49,194	52,320	51,932	46,613	51,726	40,938	44,775	52,233	42,497	50,099	30,000
4	41,697	40,714	32,916	30,460	50,768	42,381	54,908	36,370	33,148	45,805	32,500
5	36,632	52,265	41,096							32,081	35,000
6	33,036	39,947	31,103							47,981	37,500
7	48,849	51,786	44,039							52,014	40,000
8	43,819	34,134	53,232							41,338	42,500
9	43,824	39,424	39,008							50,420	45,000
10	34,185	41,734	50,228							37,437	47,500
11	38,777	30,535	47,294							36,028	50,000
12	36,459	48,838	36,622							34,062	52,500
13	51,212	53,810	52,166							52,892	55,000
14	45,475	48,847	35,063							37,216	57,500
15	42,957	31,117	46,729								60,000
16	44,658	42,695	30,555								62,500
17	32,8										
18	35,6										
19	33,										
20	44,9										
21	37,080	53,603	40,264	52,04			53,68				

[ヒストグラムダイアログ]
入力範囲(I): $A$3:$J$52
データ区間(B): $K$3:$K$16
出力先(O): ○にチェック
□ラベル(L)
□パレート図(A)
□累積度数分布の表示(M)
□グラフ作成(C)

ここにチェック

〇：8 など、出力先を指定

データ区間の範囲を指定。この例では、データ区間は左側にあるK3〜K16に指定

図 3-20 度数分布表

データ区間	頻度
30,000	0
32,500	47
35,000	66
37,500	53
40,000	50
42,500	40
45,000	41
47,500	48
50,000	49
52,500	55
55,000	49
57,500	1
60,000	0
62,500	1
次の級	0

STEP 2 度数分布表をグラフ表示する

　Excel の「データ分析」機能を使うと、データ区間が範囲（30,000 〜 32,500 など）でなく、データ区間の最大値（32,500）で表示されます。ヒストグラム完成時にそれではわかりにくいため、Excel 上に表示された度数分布表の「データ区間」の表示を（"30,000 〜 32,500" などに）書き換えて、グラフ作成時に参照するとよいでしょう。棒グラフは「挿入」→「グラフ」でグラフウィザードを呼び出せば簡単に作れます。

　また、ヒストグラムの一般的な特徴として、棒グラフの間隔を取らない（隣同士の棒が接している）ので、グラフの間隔をゼロにする操作が必要です。グラフの1つをダブルクリックすると、「要素の間隔」を変更できます（右クリックして出てきたメニューにある「データ要素の書式設定」で、「要素の間隔」を変更する場合もあります。バージョンによって違いますので、ご確認ください）。

図 3-21 ヒストグラム

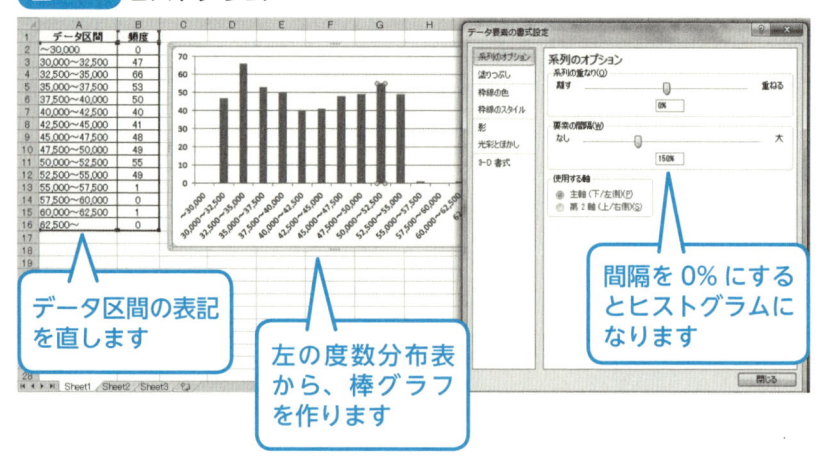

計画の下振れ、上振れのリスク（大きさや頻度）から、事業のリスクを示す

ヒストグラムができたところで、企画に対するリスクの大きさについて考えてみましょう（ここでは、隣国Dのデータが、新規市場であるB国と似たような販売・消費行動が取られるという前提で考えます）。

先に15分割した94ページ図3-14に、平均値の場所を織り込んで、再度見てみます（**図3-22**）。

第2章で触れた"平均の落とし穴"を思い出してください。

平均値42,377円が属するデータ区間（40,000〜42,500円）では、データの数（販売数）が最も少ないことがわかりますね。「販売価格の平均が42,377円だ」と聞くと、その価格周辺の値段で最も売れたように"錯覚"しがちですが、平均はそれを保証するわけではないのでしたね。

平均値や標準偏差ではこの点を見抜くことができません。ヒストグラムはデータ全体が分布する姿を視覚的に表わすため、このようなポイントを非常に捉えやすく見せてくれるのです。

図3-22 販売価格ヒストグラム（15分割）

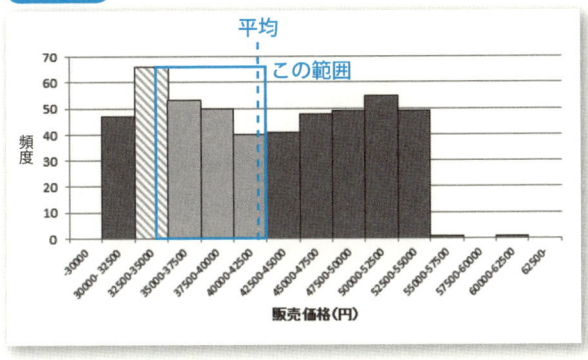

ヒストグラムを使って、他にどんなことがわかるでしょうか。

一般的にリスクを構成するものは「リスクのインパクト（大きさ）」と、それが起こる「可能性の大きさ」です。

まずリスクの「大きさ」について考えてみましょう。たとえば、ヒストグラム上、平均値より下なのに最も多くのデータ数（頻度）がある32,500〜35,000円の真ん中の値（**階級値**と呼びます）、33,750円を、悲観的なシナリオのデータとして使ってみます。つまり、かなりの値引き圧力がかかった場合の想定ですね。

すると、想定売上総額は、仮に想定した数の商品が売れたとしても、

33,750円 × 9万台 ≒ 約30億円 ＜ 約38億円（平均値前提）

となり、平均値を前提とした場合の売上総額約38億円（42,377円×9万台）に比べ、約8億円（＝38億−30億）も下振れする結果になります。その分、利益総額も減ることは確実です。

同様に、上振れした場合も考えてみましょう。仮に、平均値より上で最も頻度の高い50,000〜52,500円の階級値51,250円を楽観的シナリオのデータとして使い、売れる台数を9万台固定で考えると、

51,250円 × 9万台 ≒ 約46億円 ＞ 約38億円（平均値前提）

と、平均値前提の売上約38億円より約8億円多い売上総額が想定できます。

データの読み方で「示せること」が変わる

なお、本ケースでは、悲観・楽観シナリオともに、両極端に近く、データ数（頻度）が多い階級を使いましたが、どのデータを使うべきかは、ケースにより様々な考え方があります。

図 3-23 様々な範囲の考え方

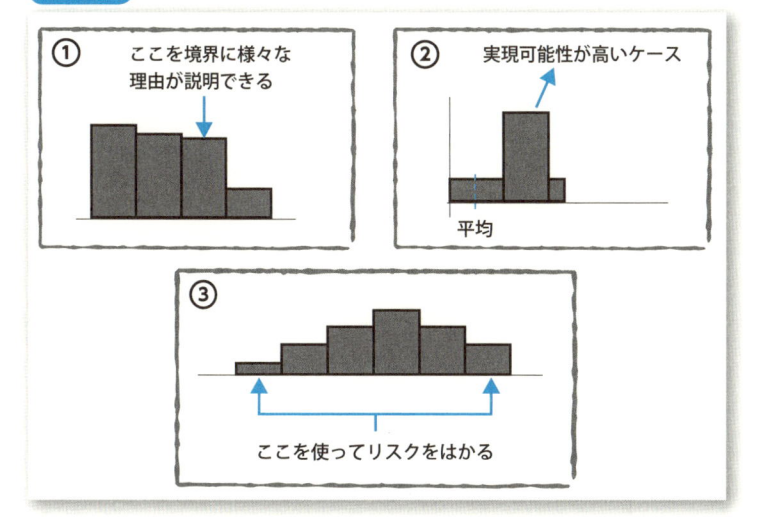

① ここを境界に様々な理由が説明できる

② 実現可能性が高いケース / 平均

③ ここを使ってリスクをはかる

　たとえば、極端にデータの数が減る手前の階級は、そこを境界として多くのデータが説明できる範囲として選べますし（**図 3-23**①）、逆に、平均から離れていても、データ数が飛び抜けて多い階級があれば、実現可能性が高いケースとして選べます（同②）。より広くリスクを捉えるために、ある程度実際に起こり得る可能性があれば、最も低い階級値（先の例では 31,250 円）と、最も高い階級値（同 61,250 円）を使うという選択肢もあります（同③。一般的に、最も可能性が高い〈＝データの数が多い〉値を使うと、より現実的な説明が付けやすいと思います。ただし、ケースごとの最終判断は必要です）。

　先に算出した下振れ、上振れの値を使うと、次のようにリスクの幅を示すことができます。

売上総額リスクの想定範囲：
約 30 億円 ＜ 約 38 億円（平均値前提）＜ 約 46 億円

　単に「約 38 億円の売上総額です」と示すのに比べ、どの大きさの範囲でリスクが考えられるのか、までも示すことができましたね。

Excelでリスクの確率をつかむ

さて、リスクの幅（大きさ）がわかると、次に「では、そのリスクはどのくらいの可能性（確率）で起こるのか」が気になるところです。

たとえば、いくら大きく下振れする可能性があるとはいえ、その確率が1％であればほとんど気にしないですよね。

つまり、リスクは「大きさ」と「可能性（確率）」とセットで考える必要があるということです。

Excelの **"COUNTIF"**（条件が1つのとき）や **"COUNTIFS"**（条件が複数のとき）を使えば、下振れの階級値として使った33,750円と、平均値42,377円との間にあるデータの数が簡単にわかります。

図3-24 が、Excelのセル上にインプットする一例です。手で直接入力することも、関数の中から選択することもできます。

33,750以上かつ42,377未満の値を持つデータの数を求めるために、条件ごとに対象となるデータの範囲と、その条件（""で区切ります）を入力します。

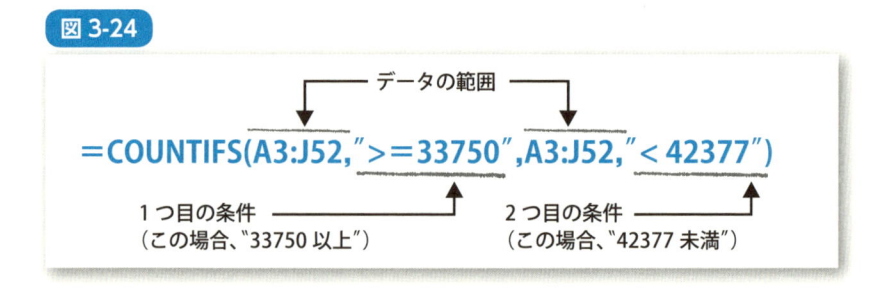

図3-24

```
                  データの範囲
           ┌──────┴──────┐  ┌──────┴──────┐
=COUNTIFS(A3:J52,">=33750",A3:J52,"<42377")
          └──┬──┘                └──┬──┘
         1つ目の条件              2つ目の条件
       （この場合、"33750以上"）（この場合、"42377未満"）
```

なお、階級中の範囲の切れ目を気にせずに、もっとラフに求めるのであれば、ヒストグラムを作成する際に作った度数分布表から、対象となる階級のデータ数（**度数**と言います）を数えても事足ります。
　なお、"COUNTIFS" 関数の応用範囲は広く、データだけでなく、文字列を条件に指定することもできます。たとえば、「男性」や「日本人」などの単語を指定して、カウントすることも可能です。

平均点以下になる可能性はどれだけあるか

　さて、A君の例に戻りましょう。本例では、この範囲に収まるデータが、全500データ中170データと特定できました。これは、「平均未満33,750円以上の範囲には34%（=170÷500）のデータが存在する」ことを示しています。おおよそ全体の3分の1ということですね。

　ヒストグラム上では、これがどう見えるのでしょうか。
　ヒストグラムでは、棒グラフの面積が確率の大きさを示しています。なぜなら、棒グラフの縦軸は、データ数（頻度）を示しており、全てを足せば、全データ数（100%）そのものになります。

　先に求めた34%がヒストグラム上に示す範囲は、99ページ**図3-22**の薄い色の部分の面積であることが視覚的に確認できます（32,500～35,000の階級は、真ん中の階級値を範囲の下限としたため、斜線で示しました。また平均が属する40,000～42,500の階級は、平均（42,377）が上限の42,500に近いことから、斜線でなく階級全体を表記上含めることにしました）。

　同様に、上振れする可能性について計算すると、同じく34%ありましたので、隣国Dの実績データにおいては、先に示した上下リスクに対して、この範囲に収まる可能性は、ざっくりと3分の2（=34%+34%）

で起こり得ることがわかります。言い換えれば、この範囲に収まらない確率も、まだ3分の1残っていると言えますね。

　このリスクの大きさや確率をどう評価するかは、ケースごとの経営判断になります。
　また、このケースのように、あくまで隣国の実績を前提にした推定値では、他の市場で必ずしも同じことが言えるとは限らないことも忘れてはいけないでしょう（計算上の厳密性を追い求めていると、つい留意すべき前提や制約などを忘れてしまいがちです）。

　A君のケースのように、データをはじめ、全ての条件や前提がうまく揃っている状況は、なかなかないものです。
　そこで、特に不確定要素を含んだ将来の計画や企画を考えるときには、平均値などの1つの数値だけに頼るのでなく、リスクにも目を向けることは、より質の高い判断をするために重要です。
　このときに、標準偏差やヒストグラムといった、"バラつきを定量的に把握する手法"が力を発揮してくれるでしょう。

仕事で生かせる「標準偏差」の使い方

最後に、ビジネス実務上「標準偏差」を使うケースについて、まとめていくつか挙げておきます。

・平均に隠されたデータのバラつきを見たいとき・見せたいとき

たとえば、たまに来る団体客を差し引いて平均的な客数を知りたいとき、あるいは平均値で売上実績を報告したものの、その平均がいつも達成できると誤解されるのを避けたいときなど。後者は、標準偏差も大きいことを示し、今後も必ずしもその平均を維持できるような安定事業ではないことを伝えます。

・データの統一感、バラバラ感を知りたいとき

膨大なデータがあり、平均値は Excel で瞬時にわかるものの、パッと見では、そのデータの散らばり具合がわからないときに、さっと標準偏差を出してみます。

・データの値がバラバラであることをシンプルに表現したいとき

上記とダブリますが、平均だけを示すと、多くの人は、その平均前後がコンスタントに実現されると思いがちです。でも、言葉では、そのバラつき度合いは、"バラバラ"としか伝えようがありません。誤解を避けたい場合、標準偏差でバラつきが大きいことを示し、"リスク"があることを伝えます。

- 「平均で×××です」という主張に対して「ほんとか～？」と思い、それを確かめたいとき

　こちらも、平均で埋もれたリスクや事実をあぶり出して検証するときに使います。相手が自分に都合よく平均を解釈しようとしたときに、突っ込む武器としても使えます。

- 平均という単純な指標だけだと、何か物足りない（格好がつかない）と思ったとき

　平均だけでは、いかにもベーシックで幼稚だと思われかねませんが、標準偏差を出すと、ちょっと格好がつきます。見栄の問題です。

- 平均を出したものの、直観的にしっくりこないとき（標準偏差が大きければ、必ずしもデータが平均周辺に多いわけではないことが確認できる）

　自分の実感と違うのはなぜか、定量的に確認すると納得できることがあります。特に分布が両端に偏っているときには、平均に近いことが起こりにくいので、このようなケースがあります。

グローバル化の中で必須の「バラつき思考」

　最後に、「グローバル化」の中で、"バラつき"を意識する重要性について、触れておきたいと思います。

　グローバル化が進むにつれて、分析する対象、考える範囲が、日本だけでなく、世界全体に広がっています。「ダイバーシティ（多様性）」について耳にする機会が増えたとはいえ、多くの他国と比べると、日本はまだまだ均一性や同質性がとても高いと感じています。その限定された範囲においては、「日本人は平均的に……」や「日本人というのは……」という解釈が成立しました。しかし、その限定的な意識を他国にそのまま当てはめることは、大きなリスクを伴うことを知っておくべきでしょ

う。

　たとえば、人口や国土も大きく、多くの民族からなる中国（または中国人）をひとまとめにして「平均」で語ることは、日本と同じようにはできません。多言語、多民族、多文化、多国籍からなるヨーロッパも同様です。新興国と呼ばれる成長市場にも未知数の部分がたくさんあり、「平均思考」だけで太刀打ちできるほどシンプルな世界ではありません。

　日本国内だけに閉じた意識しか持っていなければ、多様性（つまりバラつき）を理解することを疎かにしてしまいがちです。グローバル化の中で、ますます「多様性（バラつき）思考」の重要性が高まっているのです。

　　計画に必要な販売台数や、想定されるリスクをデータで確認したことで、事業計画の大枠がやっと見えてきました。

A君　「売上は30億円から46億円の範囲で考えられるんだ。リスクなんてどうやって数字で表わせばいいんだろう、と思っていたけど、標準偏差やヒストグラムがあれば、視覚化までできるんだなあ」

　"事業計画"といってもボワッとしたイメージしか持てなかったA君。でも、事業そのものを数字で具体的に示すことで、頭の中でモヤモヤしていたものが、一気に具体的なものに変わってきたことを実感し始めていました。

コラム データが母集団そのもののときに使える「STDEVP関数」

　Excelで標準偏差を求める関数には、STDEVに加え、STDEVPという関数もあります。STDEVPは、使用するデータが、全部のデータ（母集団）であるときに使います。

　たとえば、ある小学校の2年生のデータを使い、全国の小学2年生の特徴を分析するとします。この場合、「ある小学校の2年生」が"サンプル"で、「全国の小学校2年生」が、母集団となります。通常、母集団全部のデータを集めて分析することは現実的でないため、このように"サンプル"のデータで母集団全体の分析をすることになります。もし、特定の限られた範囲でのデータを分析し、それを母集団とみなすことができれば、それは「サンプル」ではなく、母集団の分析として扱います。ただ、実務上（特にデータの数が多いときには）、この違いを厳密に意識しなくてもあまり問題にはなりません。

　標準偏差は、次の式で求められますが、これらの違いは、計算に使われる分母の値が1違うだけです。計算に使うデータが、サンプルである場合には、この分母が「データ数－1」となります。

　同じバラつきでも、データ数が少ないと、（√ 内の分母が小さくなるため）標準偏差は大きく出る特徴が、この公式からわかりますね。

$$\text{標準偏差(STDEVP)} = \sqrt{\frac{(測定値-平均値)^2 \text{の和}}{データ数}} \quad \text{（母集団の場合）}$$

$$\text{標準偏差(STDEV)} = \sqrt{\frac{(測定値-平均値)^2 \text{の和}}{データ数-1}} \quad \text{（サンプルの場合）}$$

第 4 章

何が成功要因なのか
データで将来を見通す「相関分析」

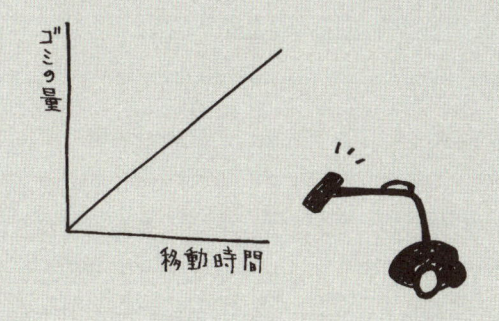

過去のデータで 将来の"手"を考える

A君　「やっと先が見えてきましたね。事業の計画と言われても、何をより所に考えるのか漠然としていました。でも、市場の規模や売上のリスクなど、雲の中にあったものが、データを使ってどんどん具体的になってくるので、自分でも納得性が高まってきたと思います。なんだかプレゼンもうまくいきそうな気がしてきました」

上司　「おい、ちょっとまだ気が早いぞ。こういう作業に没頭しているとつい見失いがちだが、一歩引いて、今自分が示せているもの、欠けているものを整理すると色々アラが見えてくるものだ」

A君　「欠けているもの……ですか？」

上司　「そう。今までやったことは、あくまで過去のデータを使った状況把握だったよな。このままレポートすれば、それは"状況報告"に過ぎないんだよ。自分たちがどうしたいかを示す"計画"の部分はまだ手つかずのままだ」

A君　「計画、計画……。う〜ん、確かに"計画"と呼べるものはまだないかもしれません」

上司　「"計画"は、集めたり調べたりして自然にどこかから降ってくるものじゃない。"計画"は、『こうします』という作り手の意思を示せないとできないんだ。『リスクがあります』と言ったからには、それに手を打たないなんてことはビジネスではあり得ないか

らな。『マイナスのリスクがあることがわかった。でもできるだけそれを回避するためにも、こうします。それはこういう理由からです』ということが言えないと、計画として完成していないんだよ」

A君「うわー。厳しいですね。でも確かに、現状分析してそれがそのまま計画になるわけないよなぁ……。自分たちの意思かぁ。それもデータや数字で、ですよね？」

上司「もちろん！　思い付きとガッツも悪くないけど、それだけでは経営判断のためのプレゼンにならないのは言うまでもないよな。将来の計画を作るときにも、過去のデータを活用することには変わりない。でも、今度はそれを単なる状況把握から、将来の計画のために活用するように頭を切り替えるんだ」

　上司の矢継ぎ早な話の展開に頭がすでについていけなくなりつつあるA君。「もっとヒントをください」という表情を上司に向けます。

上司「たとえば、我々の製品は、もう他の市場では売り出されているだろ？　いろんな取組をして、失敗例も成功例もあるだろう。それを社内で活かさない手はないよな」

A君「そうですね。入手した販売データと一緒に、各市場でどんなプロモーションをしたのかわかるものが入っていました。あれっ、でも待てよ。販促実施の実績データは色々あったけど、その結果がどうだったかまでは、わからないぞ。それじゃあ、どれを成功例として参考にすればよいかわからないしなぁ……。せっかくのデータ、なんとかうまい使い道はないものかなぁ？」

最も効果の高い販促策を探せ
相関で、データに"意味"を与える

　前章で、販売価格の変動など、売上や利益予算達成を脅かすリスクがあることを確認した今、そのまま手をこまねいているわけにはいきませんね。

　A君も「打ち手」を考えろと言われて、その必要性は十分理解しているものの、他の人に納得してもらえる具体的な手段の提案を自分が作るとなると、今にも手も頭も固まってしまいそうに感じます。テレビCM、新聞・雑誌広告、インターネット広告から、次回の購入に使えるディスカウント・チケットのサービス、販売店へのインセンティブなど、よく耳にする販売プロモーションは思い付くものの、どれがどのくらい効果があるのかは見当がつきません。

　さらに、予算というお金の制約の中で、最も効果的な使い道を探し出し、全体の効果を最大化することも求められますね。

　このように、あれこれ考えるべき要素が多く、混乱しそうなときこそ、実現したいことをもう一度整理してみるとよいでしょう。
「(マイナスリスクをできるだけ回避すべく)売上を伸ばす施策を行ないたい」＋「でもお金には制約がある」
　⇒「お金をかけるからには、効果につながるものを実施したい」

　「お金を使った効果が出る」とは、「お金」が「効果」につながっている。すなわち「お金」と「効果」の間に、何かしら一定の結び付きがあるものを優先することが前提というわけですね。
　だとすると、使うお金と効果との結び付き（関係）の強さがわかれば、

何にお金を使うべきかがはっきりする、ということにならないでしょうか。

結び付きの強さをデータで数値化する

　結び付きの強さを数値化する。こんな場合にこそ威力を発揮するのがデータです。統計手法を使って、このような2つのモノ（データ）の間の関係の"強さ"を数値化することができるとすれば、それを利用しない手はないでしょう。

　「関係」の有無と言っても、現実には「ある」、「ない」のいずれかに明確に言いきれるものばかりでないのが世の中です。もし、勘と経験だけに頼れば、「新聞広告は意味がないような気がする」とか「チラシの効果は抜群だと思う」などと、比較のしようもなく、検証もできない不毛な議論になりがちです。でも、2つの間の関係の強さ加減を数値化できれば、様々なデータの組み合わせを客観的に比較分析することが可能になるのです。

　このようなデータ同士の結び付きのことを**「相関関係」**と言います。相関関係の強さを統計的に数値化する、と聞くと、とても難しいことをしなくてはならないと思う人もいるでしょう。その統計的な理論を厳密に理解することはともかく、Excelを使えば、その分析結果は、平均や標準偏差を求めるのと変わりなく、いとも簡単にできてしまうのです。

2つのデータの組合せから情報をあぶり出す

　相関関係を数値化する具体的な話の前に、一段高い目で、前章までの平均や標準偏差などの話と、相関との違いについて触れておきたいと思います。

前章までに扱ったのは、"販売価格"など1種類のデータでした。その1種類のデータの特徴を、平均値や標準偏差などの統計指標によって表現し、計算に活用しましたね。
　ここからは **"2種類"** のデータに対する分析を行ないます。
　他のデータとの関係に着目することで、単に1種類のデータからでは読み取れない情報をあぶり出すのです。そこから得られる情報は、それぞれのデータがもともと単独で持っている性質ではなく、他のデータと組み合わせてはじめてその意味が作られるものです。
　たとえば、1種類のデータだけだと、それが多いか少ないか等の比較で終わりますが、2種類のデータだと、「Aがこういうときはこんな数字になる」という関係がわかりますよね。

　もう1つ、「相関」を扱うときに知っておくべき前提があります。
　相関を考えるときには、2つのデータの各要素が **「対応している」** ことが前提となっています。
　要素が「対応している」とはどういうことでしょうか。
　図4-1 は、出席番号順にそれぞれの生徒の国語と算数の点数を並べたものです。各生徒ごとに、横並びに点数が示されています。横に並んだ、国語と算数の点数は、生徒ごとに組み合わさっています。このようなケースは、生徒ごとに、国語と算数のデータが「対応している」と言えます。
　一方、**図4-2** では、どの点数がどの生徒のものかを気にせず、バラバラに並んでいます。その場合、お互いに横に並んでいる国語と算数の点数は同じ生徒のものとは限りません。つまり対応していないのです。
　このようなときは、相関を見ることができませんね。
　なぜなら、データ（国語）とデータ（算数）の関係は、対応なしにはわからない（成り立たない）からです。
　では、「対応している」ことがどうして重要なのでしょうか？　そこには、"平均"では実現できない「相関」の強みが関係しています。

図4-1　生徒と点数が対応しているデータ

出席番号	国語（点）	算数（点）	出席番号	国語（点）	算数（点）	出席番号	国語（点）	算数（点）
1	34	48	11	94	73	21	39	75
2	84	62	12	33	88	22	79	60
3	49	37	13	95	27	23	26	80
4	52	55	14	30	73	24	86	32
5	59	20	15	96	33	25	33	47
6	95	67	16	93	37	26	36	65
7	77	51	17	87	26	27	39	69
8	58	60	18	76	89	28	100	47
9	69	71	19	46	91	29	26	57
10	80	89	20	76	21	30	29	42

図4-2　個々のデータの結び付きがバラバラのデータ

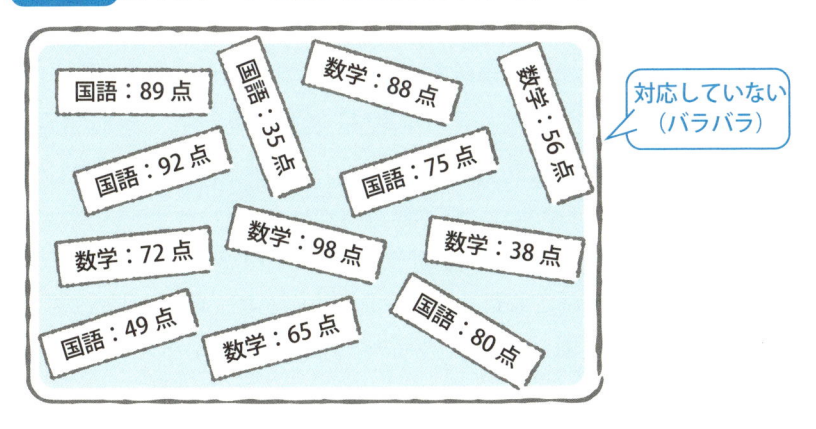

国語：89点　国語：35点　数学：88点　数学：56点
国語：92点　国語：75点
数学：72点　数学：98点　数学：38点
国語：49点　数学：65点　国語：80点

対応していない（バラバラ）

次の記事を見てください（出典：読売新聞　2012年12月18日付）。

県民は通勤最長　睡眠最短
　通勤や通学に時間がかかり睡眠時間が短くても、趣味は楽しむ――。総務省が行なった社会生活基本調査で、神奈川県民のこんな暮らしぶりが浮かび上がった。（中略）県統計センターが「多忙でも自分の時間をアクティブに楽しむ姿がうかがえる」と分析している……。

この主張の根拠として、神奈川県内の平均として、通勤・通学時間が1時間26分で全国平均を25分上回り、睡眠時間も7時間31分で全国平均より11分短い。また、積極的自由時間が1時間23分で、全国平均よりも9分長いことを挙げていました。

　確かに、平均という巨大なバスケットに入れた数字で見ると、この主張は正しいように思えますね。しかし、ここには「対応」が考慮されているのかどうかがわかりません。つまり、平均という全体ではなく、個人のレベルで、「通勤・通学時間が長く、睡眠時間が短い多忙な人が、自由時間が長い」が成り立てば、先の主張は妥当である一方、見方を変えれば、「自由時間が長い人に注目すると、本当は通勤・通学時間が短く、睡眠時間も長く、多忙ではない」かもしれませんよね。もちろん、ここに書かれていないだけで、「通勤・通学時間」、「睡眠時間」、「自由時間」の相関を見た上での主張であれば、妥当かもしれませんが、「多忙でも自分の時間をアクティブに楽しむ」と言えるのは、「多忙なこととアクティブなこと」の間に相関があることが前提です。それを言うためには、「通勤・通学時間」、「睡眠時間」、「自由時間」のデータが個人レベル（個別データ）で対応が取れていないとわかりません。

　この問題（たとえば、通勤・通学時間が長い人が、自由時間も長いのか？）を解決してくれるのが「データの対応」の視点であり、「相関」なのです。

　しかしそうは言うものの、実務で使うデータには、対応しているものが多いと私は感じています。たとえば、「4月に使った経費（データX）と、その月の販売数（データY）」のように、月ごとに対応しているようなデータはたくさんあります。他にも、国の人口と売上額の相関を調べようとすれば、国ごとに、人口と売上が対応しているはずですので、ほとんどのケースで「対応」の前提は満たしています。

相関の強さを示す「相関係数」

では、「相関関係」の分析について、具体的に見てみましょう。

2つのデータの「相関関係」の"関係"とは、厳密には比例関係を指します。

中学校の数学を思い出してほしいのですが、比例関係とは、データXとデータYが、Y= aX+b（a、bは定数）の関係にあることを意味します。

定数aがプラスかマイナスかによって、Xが増えるとYも増える関係と、Xが増えるとYが減る関係があります。前者を正の相関、後者を負の相関と言います。

相関の大きさには、強い・弱いがあります。これは、**一方のデータがどの程度他方のデータの動きに連動しているか（つられて動くか）で決まります。**

この相関関係の強さは、**「相関係数」**と呼ばれる指標で示されます。相関係数は、相関の強さと、2つのデータの増減方向が同じか反対かによって、－1から＋1までのいずれかの値を取ります。相関係数がプラスの値であると、正の相関（2つのデータの増減方向が同じ）であり、値が1に近いほど相関が強いことを示します。＋1では完全な比例関係になり、ゼロだと全く相関がないことになります（次ページ**図4-3**）。

逆に、2つのデータの増減方向が反対となる負の相関は、マイナスの相関係数を示し、値が－1に近いほど、負の相関が強いことになります。

図 4-3 相関の強さと向きを表わす相関係数

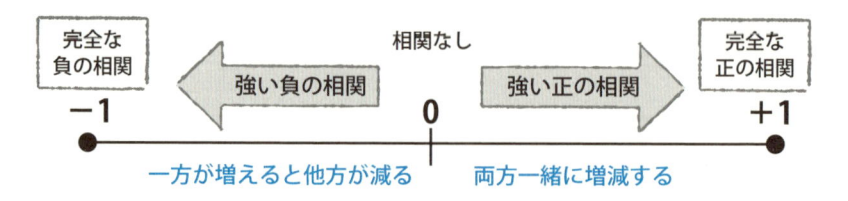

```
完全な          相関なし           完全な
負の相関                           正の相関
         ←強い負の相関   強い正の相関→
 −1              0                +1
    一方が増えると他方が減る  両方一緒に増減する
```

インフルエンザ流行期と小児科での待ち時間の相関関係

　具体的な例で示しましょう。

　ある小児科の受診までの平均待ち時間をインフルエンザの流行期に、毎週記録したとします。季節や病気の流行などによって、待ち時間は変動するはずです（もちろん曜日や時間も関係しますが）。

　一方、インフルエンザの流行状況は、厚生労働省などが発表しており、流行が示す指数と、小児科での待ち時間の間には、一定の相関関係が認められると考えられます。必ずしも完全な比例関係でなくても、「一方が増えれば（減れば）、それに合わせて他方も増える（減る）」関係があれば、（正の）相関関係が成り立ちます。このケースも、相関係数を計算すれば、0以上1以下の（恐らくより1に近い）値を示すのではないでしょうか。

　また、相関分析は、2つのデータの単位や数値の大きさの違いは問いません。この例のように、どのようなデータの組み合わせであっても、可能です。あくまで数値的な比例関係の強さだけを見るためのものです。

　これは相関分析の応用範囲を無限に広げるすごい魅力だと、私は思っています。なぜなら、2つのデータが揃えば、理論的にはどんな組み合わせでも相関分析ができるからです。

相関係数をExcelで求める
（CORREL関数）

では、**相関係数**を求めてみましょう。

相関係数を求める公式は、平方根などを使った、やや複雑なものなので、ここでは割愛し、Excelで簡単に求める方法を紹介します。

実際に、実務で使う場合には、公式を意識する必要は全くなく、データさえあれば、Excelの標準関数を使って数秒で答えを得られます。

Excelには、相関を表わすCorrelationの頭文字を取った**「CORREL関数」**が、標準で装備されています。

空いているセルを選び、**「=CORREL」**と入力（または関数から選択）し、そのあとに、2つのデータがある範囲をカッコ（　）で選択すれば、完了です。

図4-4にその例を示します。この例では、関数を入れてEnterを押せば、選択したセルに0.95という相関係数が表示されます。

相関係数の0.95という値から、かなり強い相関であることを確認できます。

図4-4 Excelで「CORREL関数」を使う

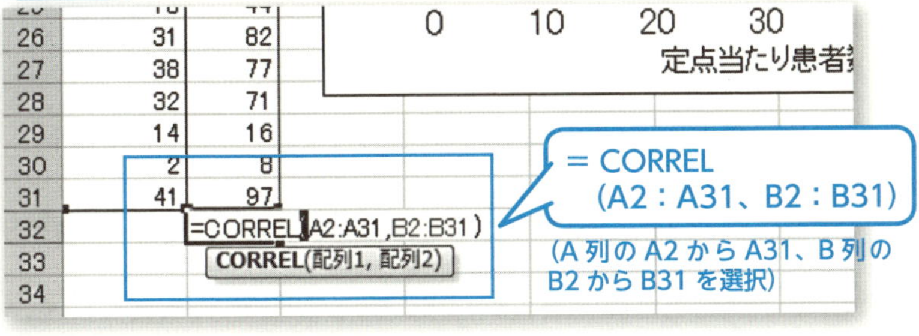

= CORREL
(A2：A31、B2：B31)

（A列のA2からA31、B列のB2からB31を選択）

第4章　何が成功要因なのか　データで将来を見通す「相関分析」

図 4-5 平均待ち時間と流行状況（患者数）のグラフ

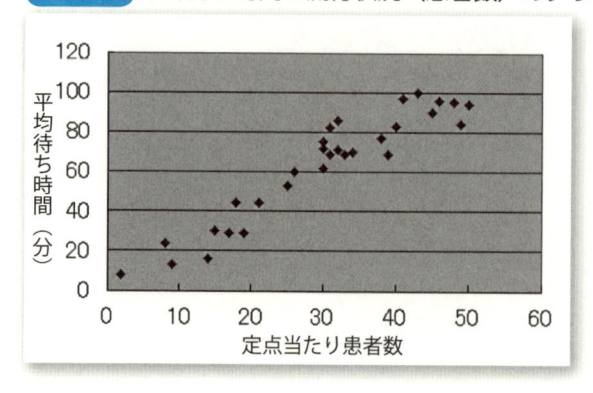

　さて、今度は視点を少し変えて、この2つのデータの関係を視覚的に見てみましょう。

　平均待ち時間を縦軸に、インフルエンザの流行状況を示す「定点当たり患者数」を横軸に取り、対応するデータをグラフに可視化します。一例として、図4-5のような図ができるはずです。このように、2つの要素をそれぞれ縦軸、横軸に取り、対応するデータを表示したグラフを、**「散布図」**と呼びます。散布図はExcelの「グラフ」機能に標準で入っていますので、データの範囲を指定することで簡単に作ることができます。

　ここから、どんな特徴が読み取れるでしょうか。

　一方の値（たとえば横軸）が増えれば、他方の値（縦軸）も増える、いわゆる右肩上がりの直線に近い形にデータが散らばっていますね。まさしくこれが、正の相関の特徴そのものを示しています。すなわち、右肩上がりであることが"正の"関係であること、そして直線的であることが比例関係を表わしているからです。

　ただ、完全な直線ではなく、データは直線から多少のバラつきを持っていることがわかります。つまり、この2種類のデータは、完全な相関ではないものの、ある程度の正の相関関係にあると言えます。

　この**「ある程度」**を数値で示すものが、相関係数そのものなのです。

相関係数がどのくらいなら、「相関関係がある」のか

「では、どのくらいの相関係数であれば、相関関係のあるなしを判断できるの？」
という疑問が次に湧いてくるのではないでしょうか。

確かに、先の0.95のように1に近い値であれば、視覚的にも容易に判断が付きます。でも、現実には、判断に迷うこともあると思います。
ところが、残念ながら、相関の有無を判断する明確な基準は決まっていないのです。

ただし、経験的には次の基準が使われることが多く、私も0.7を基準として考えるようにしています（人により、諸説あります）。

■相関係数

相関係数	
－1 ～ －0.7	強い負の相関
－0.7 ～ －0.5	負の相関
－0.5 ～ 0.5	相関なし
0.5 ～ 0.7	正の相関
0.7 ～ 1	強い正の相関

数字で示されるよりも、散布図で視覚的に確認すると、よりイメージできると思います。次ページ図4-6で相関係数0、0.40、0.70、0.90の場合の散布図を示しましたが、いかがでしょうか。

図 4-6 相関係数の大小によって、散布図はこんなに変わる

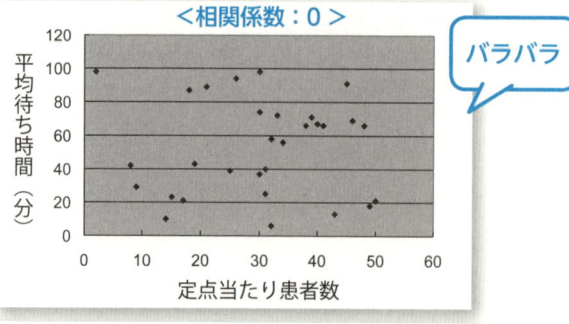

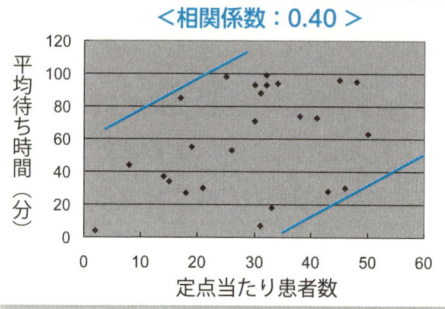

＜相関係数：0＞
バラバラ

＜相関係数：0.40＞
なんとなく方向がある

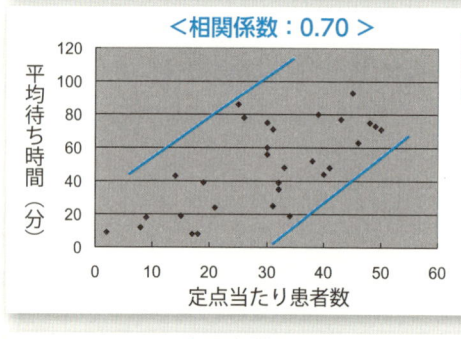

＜相関係数：0.70＞
少し方向が見えてくる

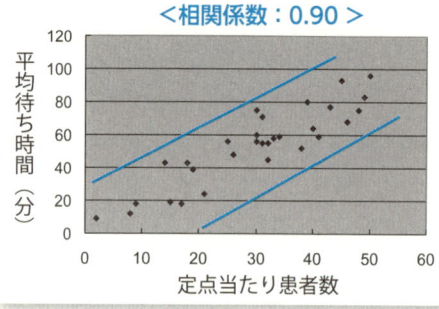

＜相関係数：0.90＞
だいぶ見えてくる

視覚的に「右肩上がり」であることを認めるには、0.40では説得力にかけるものの、0.90近くになるとそれなりに相関があることをだれもが認めるようになってくるのではないでしょうか。

同様に、負の相関のイメージの例を**図4-7**に示します。
一方が増えれば、他方が減る関係を可視化すると、「右肩下がり」のグラフになります。
その他、相関係数の大きさとデータのバラつき度合いの考え方は、正の相関と同じです。

図4-7　負の相関の場合の相関係数と散布図

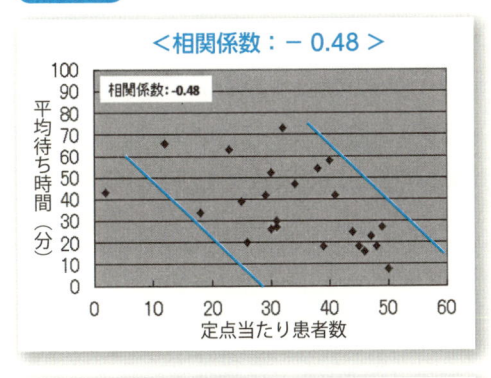

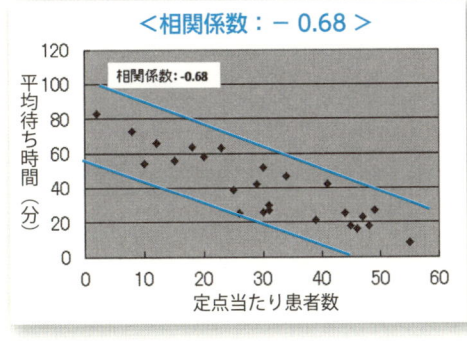

＜相関係数：－0.48＞

＜相関係数：－0.68＞

図4-8 完全な相関がある場合の散布図

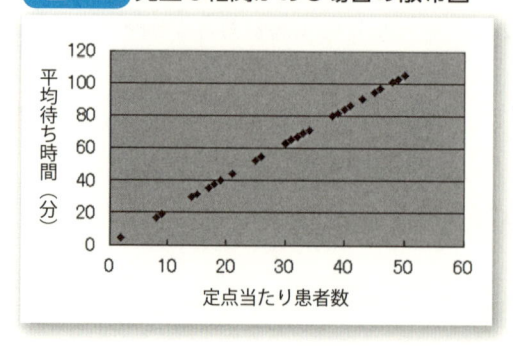

　ちなみにもし、2つのデータが、完全な相関関係にあれば、それは完全な比例関係を意味しますので、Y=aX+b、すなわち図4-8のような直線グラフになります。

　この場合、相関係数は＋1になります。実務で使うデータで完全な相関があるケースに、私は一度も遭遇したことがありません。もしこれほどの完全な相関があれば、その関係は分析するまでもなく明白なはずですよね。

　相関係数自体は、無味乾燥な数値に過ぎませんが、散布図上で確認することで、その関係の強さを感覚的（視覚的）にも捉えることができるのです。相関係数と併せて確認できると心強いですし、相手に見せるときにも理解力・説得力が増します。

相関を使って成功要因を特定する
最も効果的な販促策はどれか？

施策の効果（アウトプット）を確認しよう

　一見、シンプル過ぎるように見える相関ですが、シンプルであるからこそ、多くのことに応用が効きます。

　A君の例を見てみましょう。
　A君の課題は、「お金をかけるからには、効果につながるものを実施したい」ということでした。
　「使うお金」と「施策」の効果との関係の強さ（相関）がわかれば、お金を使うべき施策を特定できることになります。少なくとも、相関がない、または少ないことがわかっている施策にはあえてお金を投じないですよね。
　ただ、どのようなケースであっても、その課題を数値（データ）で読み替えなくては、データ分析ができません。
　この場合、「お金」は数値データで表わすことができますが、何を使って、「施策の効果」を数値化するのか、適切なものを考えなくては分析にいきつきません。
　実務において、販売施策とは、最終的には売上や利益などの「アウトプットを出す」ためのものです。ですから、そうしたアウトプットの中からふさわしいものを選ぶ必要があります。
　各施策のアウトプットがどのような指標（データ）で表わされるのか、それらのデータはモニターされ、入手可能なものなのかをよく吟味しましょう。

たとえば「新聞チラシ」という販促であれば、
- 何を直接のアウトプットと見なすのか（「お店への来場者数」なのか「売上アップ率」なのかなど）

を考えたほうがよいでしょう。

精度の高い結果を得るために、より直接的なデータを選ぶ

　もちろん、売上や利益などは最終的なアウトプットではありますが、それを達成するために、ブランドや顧客満足の向上、コスト削減、来店顧客数の獲得など、中間的なアウトプットもたくさんあります。

　一般的に、**最終アウトプットに至るまでに、他の影響が混じったり、何ステップもの中間プロセスが入ると、その分相関にもノイズが増える**ことになります。

　たとえば、ある家電店における接客スタッフの人数と、その店舗の売上総額の相関を取ったとしましょう。恐らく、ある程度の相関があり、インパクトの有無がわかると想定されますが、売上総額に至る要因は、接客スタッフの人数だけとは限りません。

　接客スタッフの多寡による効果をダイレクトに見るためには、待たせた顧客の数や時間、顧客満足度など、スタッフの人数から見て、より直接的な効果指標との相関を分析したほうが、精度よい結果が得られるはずです（**図4-9参照**）。

　このように、相関の強さをより精度高く算出するには、2つのデータの間に、より直接的な関係（関係が近く、他の影響が少ない）があることが理想です（現実的には、他の影響が全くなく、純粋に2種類のデータの関係だけしか存在しない状況など、人為的に作り出さない限りありませんが）。

図 4-9　相関を取るデータ同士の関係

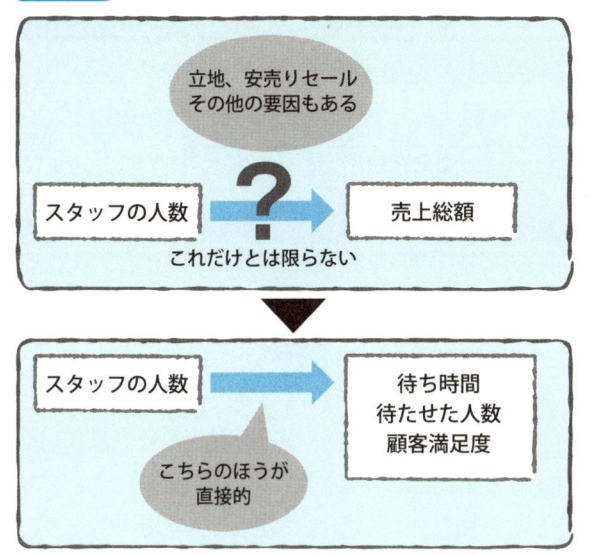

立地、安売りセール
その他の要因もある

スタッフの人数　?→　売上総額
これだけとは限らない

スタッフの人数　→　待ち時間
　　　　　　　　　　待たせた人数
　　　　　　　　　　顧客満足度
こちらのほうが直接的

A君が見つけた最も効果的な販売施策

　A君の場合、D国での様々な販売施策の実施データは入手できたものの、それぞれの活動の直接的な結果を示すデータは存在しない（モニターしていない）ことがわかりました。そのため、アウトプットとしては、売上額を使うことにしました。

　一方で、ラッキーなことに、広いD国は、市場を3つのエリアに分け、それぞれのエリアマネジャーが自分の裁量で販売施策をしていることを知りました。

　なぜ、この状況が分析上望ましいかと言えば、同じ前提の市場の中で、それぞれのエリアを独立に考えることができるからです。もし、同じ地域で色々な販売施策を同時に行なっていれば、その売上額が、どの施策の影響なのかわかりませんからね。複数の要因が1つのアウトプットにつながっていると考えられる状況は、分析の観点からはできるだけ避け

たいところです。

しかも、3人のエリアマネジャーは、限られた販売予算の中で、次のような、それぞれが効果的と考える施策にお金を使っていました。

	重点施策
エリアA	ローカルTVコマーシャル
エリアB	ディスカウント・チケット （購入者に、次回他製品購入時の割引券を提供）
エリアC	店頭イベント

図4-10は、直近1年間の月ごとの施策への支出額と、各エリアでのサイクロン掃除機の売上額を示したものです（"月"という軸で、売上と支出が対応していることを確認してください）。

図4-10 D国の販売施策データ

エリアA

ローカルTV コマーシャル	1月	2月	3月	4月	5月	6月	7月	8月	9月	10月	11月	12月
売上（百万円）	10.5	17.8	20.0	9.8	17.0	13.8	19.8	24.5	17.5	8.0	14.3	19.0
支出（百万円）	1.2	3.2	0.5	1.5	2.1	3.2	4.5	1.7	0.0	2.1	3.4	3.0

エリアB

ディスカウント・ チケット	1月	2月	3月	4月	5月	6月	7月	8月	9月	10月	11月	12月
売上（百万円）	9.3	18.8	28.3	11.3	14.8	23.8	25.8	19.5	22.3	13.5	7.8	23.0
支出（百万円）	0.0	1.4	5.5	0.9	3.9	4.8	5.5	4.1	4.5	0.3	0.3	4.9

エリアC

店頭イベント	1月	2月	3月	4月	5月	6月	7月	8月	9月	10月	11月	12月
売上（百万円）	4.1	18.9	28.8	26.7	7.1	14.5	24.9	18.2	2.4	18.2	9.2	5.1
支出（百万円）	1.2	3.3	0.3	3.1	0.3	0.4	1.3	0.3	0.0	2.8	2.0	0.7

各エリアの売上と、支出との相関係数は次のようになりました。

重点施策	相関係数
ローカル TV コマーシャル	0.07
ディスカウント・チケット	0.90
店頭イベント	0.36

　これを見たA君は、早速「ディスカウント・チケット」への高い相関が見つかったことで、

「サイクロン掃除機の顧客は『ディスカウント・チケット』に強く反応するので、ここに集中的に予算を投入して、拡販しよう」

という結論を出しました。

　店頭イベントは全く効果がないわけではありませんが、お金を使ったことによる影響の強さ（相関）の大きさから考えれば、ディスカウント・チケットのほうがよりインパクトが大きいことがわかりますね。

　ちなみに、この分析では、アウトプットとして、各月の売上額を使いました。簡便に分析をするには、これでも事足りる場合がありますが、実際にはこの売上額の増減に、もともとあった季節性の変動（ボーナス期は売れる）などが影響していたかもしれません。

　このようなときこそ、第1章で紹介した「データを加工」する工夫の出番です。もしこの売上額を「前年同期比」という"差"や"比率"に変換し、施策を行なっていなかった前年との比較をデータとして使えば、このような影響を抑え、より直接的に施策の効果について知ることができます。

相関を扱うときの注意点

　相関は、Excelを使って数秒で係数を出すことができ、しかも－1から＋1の間でだれにでもわかりやすい結果を簡単に得られる、非常に便利で力強い分析手法です。そのため私も、目に付いたデータを気軽に2つ組み合わせ、思い付きで次から次へと分析したりもします。

　思いもよらないデータの組み合わせに強い相関があると、「これは単なる偶然か、それとも裏には何かびっくりするようなつながりがあるのではないだろうか」などと、想像を膨らましたりします（もちろん、そこをさらに深掘して、貴重な情報を掘り当てることもありますよ）。

　このように、相関分析は「だれでも気軽に」使える分析手法ではありますが、一方で気を付けるべき注意点もあります。相関分析は、どんなデータでも、とりあえず分析でき、結果が出てしまいます。仮にそのデータの使い方や分析の前提が間違っていても、です。

　こうした場合、Excelや分析結果が、「間違っています」というアラームを鳴らしてくれないのがかえってアダになります。そのリスクを分析者みずからが察知して、ベストとは言えない（ときに誤った）結果を避けるためにも、ここから紹介する注意点を頭に入れておいてください。

データの組み合わせは妥当か？　常識を働かせた調整も必要

　A君の分析結果を再度振り返ってみましょう（128ページ図4－10）。A君の分析の手順も計算も間違ったものではありません。その結果、A君は「ディスカウント・チケット」に予算の比重を置く、という結論を

出しました。

　ところが、このデータをよくよく見ると、ディスカウント・チケットや店頭イベントは、その場でお客様に直接影響する施策であるものの、ローカル TV コマーシャルは、必ずしもそうとは言いきれないことに気付きます。コマーシャルは一定期間流しますし、ある程度認知されるには繰り返しの期間も必要でしょう。また、認知されてから購入に至るまでにも一定の時間があると考えるのが妥当ではないでしょうか。

　では、もしコマーシャルの影響が販売に出るまでに、1 か月の時間差があるとして、再度分析すると、結果はどうなるでしょうか？
　この場合、データを 1 つずらして相関を見る必要があります。手順としては**図 4-11** のように、1 列ずらしてデータを選択します。

図 4-11 D 国の販売施策データ（1 列ずらして見る）

エリア A

ローカル TV コマーシャル	1月	2月	3月	4月	5月	6月	7月	8月	9月	10月	11月	12月
売上（百万円）	10.5	17.8	20.0	9.8	17.0	13.8	19.8	24.5	17.5	8.0	14.3	19.0
支出（百万円）	1.2	3.2	0.5	1.5	2.1	3.2	4.5	1.7	0.0	2.1	3.4	3.0

相関係数 = 0.88

　その結果、このケースでは、0.88 という高い相関係数が求められました。もし、「効果までの時間差」の前提が妥当であれば、必ずしも A 君の結論は「ディスカウント・チケット」だけにはならなかったはずです。

　これは、あくまで常識を使って考えたもので、データが自動的に教えてくれるものではありません。
　分析者が思考停止せずに行なうべき、「データをそのまま使う前の、常識チェック」の重要性を物語っています。

見せかけの相関と因果関係

　直接の相関関係がないなど、強い相関があっても、そのまま使うには注意が必要なケースがいくつかあります。

（1）単なるデータの偶然（たまたまデータの傾向が似ていただけ）

　たとえば、過去1週間下落し続けた株価と、同じ期間、冬に向かって下がり続けた平均気温との間には、計算上、極めて高い相関係数が得られても、そこにはなんら理論的なつながりがないことは明らかですよね。

（2）単に"関連"のあるデータの組み合わせ

　身長と体重、年齢と足の大きさなど。考えるまでもなく当り前のものは、わかっても付加価値がありません。

（3）疑似相関

　本当は、2種類のデータの間に直接の相関関係がないにもかかわらず、その他の要因が影響して、計算上相関があるように見える場合です。

　図4-12のように、仮に年収と起床時間のデータの相関を取ったとします。「年収が高いほうが、起床時間が早い」という相関関係が恐らく見られることでしょう。そこで、よく言われる「仕事ができる人は早起きである」という定説を持ち出すのは早計です。

　そのデータに潜んでいる他の要因が、この相関を"仲介"している可

図 4-12 「年収が高いと起床時間が早い」は本当か？

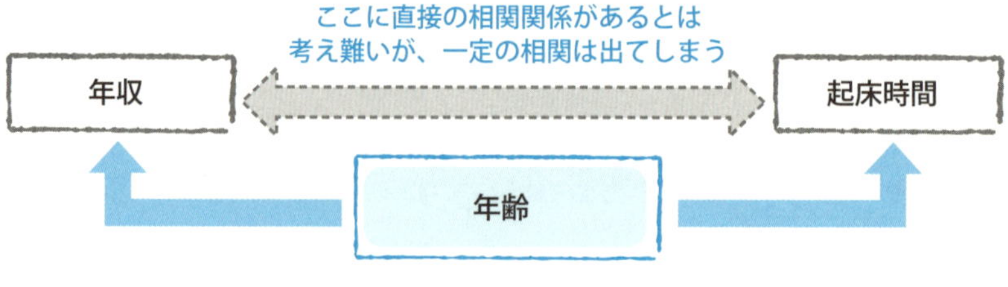

　　　　　　　ここに直接の相関関係があるとは
　　　　　　　考え難いが、一定の相関は出てしまう

　[年収] ←――――――――――→ [起床時間]
　　　↑　　　　　　　　　　　　　　↑
　　　└―――――― [年齢] ――――――┘

能性があります。このケースでは、たとえば「年齢」です。いまだに多くの日本企業では、年功序列が残っているため、若いほうが相対的に年収は低いはずです。一方、年を取ると一般的に早起きになる人が多いため、起床時間は年齢に左右されるとも考えられるでしょう。とすれば、「年齢」が、「年収」と「起床時間」両方と相関関係にありますが、「年収」と「起床時間」の間に、計算上相関関係が見られても、直接の相関関係はないという可能性も考えなくてはなりません。

　このような"見せかけ"の相関を**「疑似相関」**と呼びます。疑似相関はあとから指摘されると、「確かに、そうかもなぁ」と思うのですが、最初から自分で気付くのはなかなか難しいものです。なぜなら、第三の要因はデータとして見える形で表に現われません。元のデータの他の要素（この例では年齢データ）との相関から推測したり、常識を働かせて見つけるしかないのです。

　実際に、全て考えられる疑似相関を洗い出し、100％正しい事実を完全に突き止めることは現実的ではありません。大事なことは、疑似相関という落とし穴があることを常に意識して、「疑り深く」分析をするマインドを持ち続けることだと思います。

（4）第三の要因を媒介した相関

　これも疑似相関の一種です。一例として、**図4-13**のように、「お腹が空くようになってたくさん食べた」という視点を失うと、「ジョギ

図4-13 ジョギングを始めたら、体重が増えた？

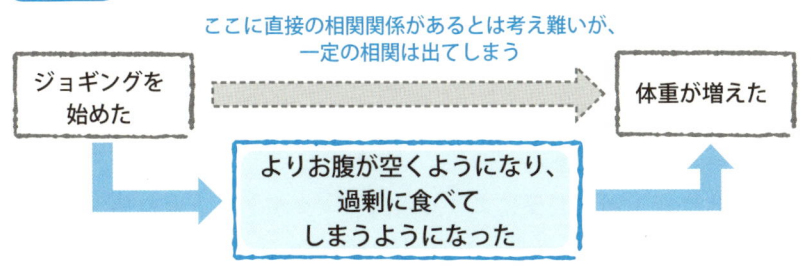

ジョギングを始めた → 体重が増えた
（ここに直接の相関関係があるとは考え難いが、一定の相関は出てしまう）

ジョギングを始めた → よりお腹が空くようになり、過剰に食べてしまうようになった → 体重が増えた

第4章　何が成功要因なのか　データで将来を見通す「相関分析」

ングを始めたら、体重が増えた」ということになってしまいますね。

(5) 因果関係の有無

　さらに相関関係は、必ずしも因果（原因と結果）関係を意味しません。ところが、人は何であれ「腑に落ちる」ことに心地よさを感じるためか、「相関がある」とすぐに因果関係と結び付けたくなってしまうようです。そこにストーリーがあると納得しやすかったり、本当は確認できていない部分を自分の思い込みで埋めてしまったりすることが、さらに誤解のリスクを後押しします。

　このような状況で、相関があるから因果関係もあるはずだ、と自分でストーリーを組み立ててしまうケースは、世の中を見てもとても多いと感じています。たとえば、みなさんご存じのCO_2による地球温暖化でさえ、CO_2と気温の間には相関が確認されているものの、その因果関係は明確になっていません。

　相関がある2つのデータの組み合わせから、「因果関係」の有無を特定するのは、現実にはとても難しいのです。
　そこで、因果関係の有無を確認するための一般的な視点が、いくつか提案されています（それでも100％のことはわかりませんが）。

ア）時間的な前後関係：原因はいつでも結果の前に来ます。前後関係が常に矛盾なく成り立っていることを確かめましょう。

イ）一般性：強い因果関係があれば、時間や場所などの属性や条件、環境を変えても、同様の結果が得られるはずです。いくつかの条件の下での結果を確かめましょう。

ウ）しきい値：因果関係により、原因データがある一定の値（しきい値）を超えた場合に、結果のデータが反応するケースがあります。この

ような特徴がないか確かめましょう（たとえば、夜 12 時の気温が 30 度を超えると一気に電力使用量が上がれば、気温と電力消費〈クーラー使用〉に因果関係があると考えるのが妥当です）。

エ）常識：自分には刷り込まれたバイアスがあることを前提に、できるだけ思い込みを排除しましょう。常識で考えれば判断できることも、たくさんあります。

いずれの方法も 100％完璧ではありません。しかし、学術論文を書くのではなく、実務で活用する場合には、ある程度、常識と関係者の総意で、因果関係とみなすことも現実的な進め方だと思います。

（6）原因と結果を逆に捉えてしまうリスク

仮に因果関係がある場合でも、それを解釈する際に気を付けるべき点もあります。

たとえば、図 4-14 のように従業員満足が先か、企業業績が先か、という問題があります。

図 4-14 従業員満足が先か、企業業績が先か

企業の業績を上げるために、従業員の満足度を上げようとするが……

従業員満足度 ⇄ 企業業績

因果関係が逆向きの可能性も（企業の高業績により給与やボーナスが上がり、満足度が高まるはず）

成績がよくなる ⇄ 褒められる

両向きの因果関係だってあり得る

シェアが増えた ⇄ ブランドが高まった

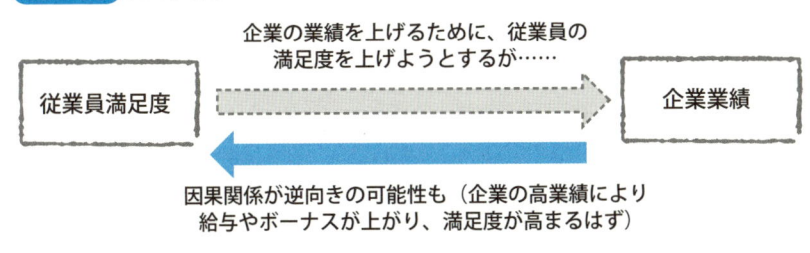

（7）原因は1つだと決め付けてしまうリスク

一例として図4-15のように、売れた理由として、商品のよさや、ブランド力などがあるにもかかわらず、「安い値段」だけを理由として取り上げてしまう場合です。

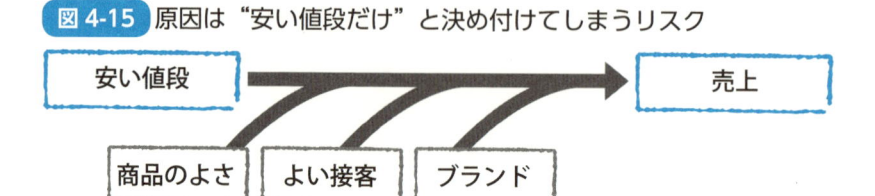

図4-15 原因は"安い値段だけ"と決め付けてしまうリスク

データ範囲で結論が変わる

第1章の38ページで触れた通り、データは同じでも、どの範囲を見るかによって、その結論が大きく変わることがあります。

次ページの総務省による日本の通信に関するデータを見てください（図4-16）。

このデータから、固定電話と携帯・PHSの加入者数の間に相関があるかどうか調べるとします。インターネットで調べると、昭和63年度からのデータが入手でき、その翌年の平成元年から、平成23年度末までのデータで相関係数を計算すると、−0.56という結果が得られます。でもここで、「なんだ、強い相関はなさそうだ」と結論付けてよいでしょうか。

ここに相関係数だけで相関の有無を判断する危うさが潜んでいます。このデータを、横軸に固定・ISDN加入者数、縦軸に携帯・PHS加入者数を取り、散布図に可視化してみます（図4-17）。

確かにこの図全体からは、直線的な関係（相関関係）は見られず、先ほどの−0.56という相関係数を裏付ける結果になっています。平成元年のデータは、グラフの一番下から始まり、時間が経つにつれて上の点

図 4-16 固定電話・ISDN 加入者数と、携帯・PHS 加入者数

（万加入・万件）	固定電話・ISDN 加入者数	携帯・PHS 加入者数
平成元年度末	5,245	49
平成 2 年度末	5,456	87
平成 3 年度末	5,636	138
平成 4 年度末	5,781	171
平成 5 年度末	5,907	213
平成 6 年度末	6,028	433
平成 7 年度末	6,164	1,171
平成 8 年度末	6,263	2,691
平成 9 年度末	6,285	3,825
平成 10 年度末	6,263	4,731
平成 11 年度末	6,223	5,685
平成 12 年度末	6,196	6,678
平成 13 年度末	6,133	7,482
平成 14 年度末	6,077	8,112
平成 15 年度末	6,022	8,665
平成 16 年度末	5,961	9,147
平成 17 年度末	5,805	9,648
平成 18 年度末	5,517	10,170
平成 19 年度末	5,124	10,734
平成 20 年度末	4,732	11,205
平成 21 年度末	4,334	11,630
平成 22 年度末	3,957	12,329
平成 23 年度末	3,595	13,276

相関係数

平成元年〜23年 −0.56

平成 16 年〜23 年 −0.99

図 4-17 固定電話と携帯の加入者の推移

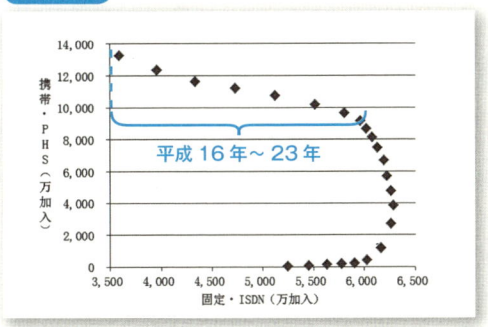

平成 16 年〜23 年

に移動していきます。当初は固定電話加入者が増え続けたものの、途中で頭打ちになり、その後、携帯やPHSの加入者が増えるにつれて、徐々に減少に転じたことがわかります。

一方、この図の上部（平成16〜23年）に着目すると、直線的な関係があることに気付きませんか？　この部分は、それまでと違って、一気に携帯の加入者が増え、それに合わせて固定電話の加入者が減っていく様子を示しています。

もし、平成元年から23年度までの相関係数は？　と問われれば−0.56が結論となりますが、携帯電話が本格的に普及したことによる固定電話との関係を見たい（ふつう、このような目的があるはずです）のであれば、データの範囲選択に気を付けなければ目的に対して誤ったメッセージを受け取ってしまいます。

ちなみにこの最後の期間では、相関係数は−0.99となり、ほぼ完全に近い形の相関（負の相関）関係にあることがわかります。

ここで、相関分析で、データ範囲を扱うときに覚えておきたい重要なポイントを挙げます。いずれのポイントも、ひと手間かけて散布図で確認することで、ほとんどのケースに対応できますし、結果として相関分析の精度と質を高めます。

- 「データがあったからそのまま分析に使う」のではなく、目的に合った範囲のデータを使うこと
- 相関係数の計算だけを鵜呑みにせず、散布図で視覚化することで、全体の様子を見ること

私も、重要なデータこそ、必ず散布図でデータの関係を目視して確認するように心掛けています。

「外れ値」の影響で相関係数が大きく変わる

相関は、ごく少数の外れ値でも、大きく影響を受ける場合があります。相関係数が0.95であった120ページ図4-5のデータに、もし1点だけ（理由は何であれ）外れ値が入っていたとしましょう。

このたった1点の存在で、全体の相関係数が0.95から0.68にまで下がってしまいました（**図4-18**）。

ここにも、単に計算上の相関係数をそのまま鵜呑みにして使うことのリスクが潜んでいます。つまり、計算で得られた相関係数が、必ずしもデータの特徴をそのまま反映していない場合があり、それを見落としてしまうのです。これを避けるためには、一度散布図でデータ全体の様子を確認することが有効です。

もちろん、外れ値がいつも"悪者"であるとは限りません。安易に排除せずに、目的（たとえば、先の携帯と固定電話の例で言えば、携帯普及後の関係を知りたいなど）によって、外れ値を残すべきか否かを判断しましょう。

図4-18 外れ値が入った散布図

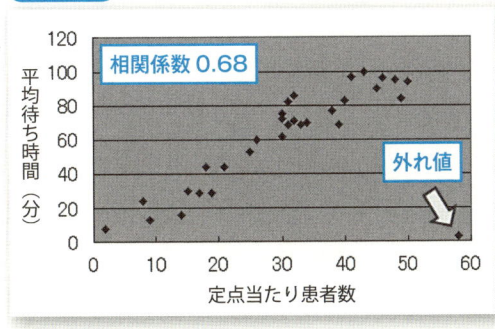

データ要素として何が含まれているか（オーディオ機器の販売の例）

第1章でも紹介しましたが、同じデータでも、それをさらに細かい要

素に分解してみると、違った結果を見せるケースがあります。

たとえば、普及グレードと高級グレードの2つのグレードを持つオーディオ機器を売っているとしましょう。

値引きをした額によって、売上が何%増えたのかモニターしたデータを分析したとします。このグレードの違いを意識せずに、「同じ製品」として1つに捉えて相関分析した結果が、図4-19です。散布図を見てもわかるように、縦軸と横軸の間に相関関係があるようには見えず、相関係数も－0.20という値です。

図4-19 オーディオ機器全体の散布図

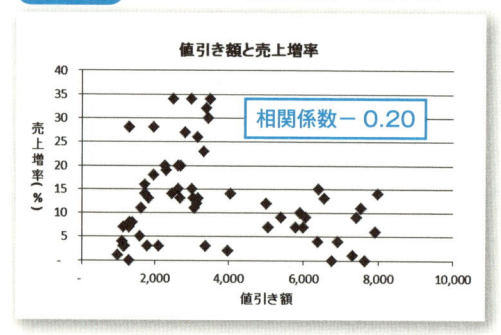

値引き額と売上増率
相関係数－0.20

でも、これを見て、「この製品は、値引きしても売上増にならないから無駄」と判断してしまうのは早計かもしれません。

普及グレードと高級グレードに分けて分析すると……

もし、このデータが普及グレードと高級グレード混在であることに目を向ければ、それぞれの相関を分けることができます。

散布図上で、この2つを分けたものが図4-20です。

この図から、普及グレードに正の相関が見て取れますね。相関係数も、0.73と高い値を示しています。つまり、このグレードのお客様は、値引きによく反応することがわかります。

図4-20 グレードの違いを分けた散布図

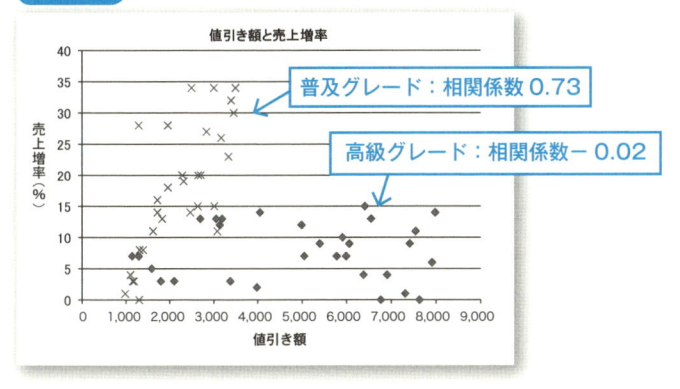

値引き額と売上増率

普及グレード：相関係数 0.73
高級グレード：相関係数 − 0.02

一方で、高級グレードの相関係数は − 0.02 と、ほとんど相関がありません。

恐らく、（そもそも価格も高い）このグレードを買うお客様は、値段には左右されずに購入を決める傾向が強いため、値引きというアプローチが有効に働かないのでしょう。

このように、**複数の要素が混ざったデータを一緒くたに分析すると、誤ったメッセージを受け取ってしまうリスクがあります。**

ただ、現実的に難しいのは、その要素があることに気付くか否かは、分析者（またはデータ収集者）の、知識や気付きにかかっていることです。もし、そこに気付くことがなければ、元のデータのまま、その結果で判断してしまうことになります。

このリスクを極力避けるためには、受け取ったデータをそのまま使うのではなく、**そのデータにはさらに分解できる要素があるのか否かを一度確認することを習慣付ける**しかありません。たとえば、「時間軸」、「地域軸」、「カスタマー軸（年齢、性別、所得、業界、組織規模、嗜好）」など、自分が関係のある業種・業界のデータには、どういった属性（要素）があるか、ということを常に意識しておくことでしょう。

他人をチェック機能として使うのも効果的です。

私の経験からも、100% 最初から気が付いてこの分解ができているわ

けではありません（特に時間が限られている場合は、最初からそこまで気が回らないこともよくあります）。データ全体で分析した結果を他人に見せて、自分より知見がある人から、「あれ？　これってなんでこうなってるんだ？　違和感あるなぁ」などと指摘を受け、そこではじめて他にデータを分解できる視点に気付いて、改めて詳細分析を行なうというケースも珍しくありません。

　分析後にドタバタしないよう、データ収集時の教訓の1つとして、頭に残しておくようにしています。

たくさんの選択肢から有効な手段をロジカルに選ぼう（職場満足度アンケートの例）

　多くの選択肢の中から適切なものを選び出すときに、たとえば「前年度踏襲」や「競合の施策と横並びで合わせる」といった短絡的なアプローチ、また、思い付きの施策だけに頼っていては、決してロジカルな計画にはなり得ません。また、実行の結果にも大きなリスクを伴うことでしょう。

　「相関」を実務で有効に使いたいときの「キーワード」は、

「"目的"と結び付きが強いものを探すことが効果的なソリューション」

ということです。

　たとえば、職場満足度を改善させるため、現状把握のためのアンケートを取ったとしましょう。「有給は十分に取得できているか」といった、職場満足に関連しそうな30の項目に対する「達成率」（5：十分達成されている、および4：概ね達成されている、のいずれかを答えた人の割合）を縦軸に、また、目的とする職場満足度（1～5ポイント）との相関係数を横軸に取ります（図4-21）。

　図中、右下（どこを境界にするかは、調査ごとに決めますが、ここで

図 4-21 満足度分析への応用例

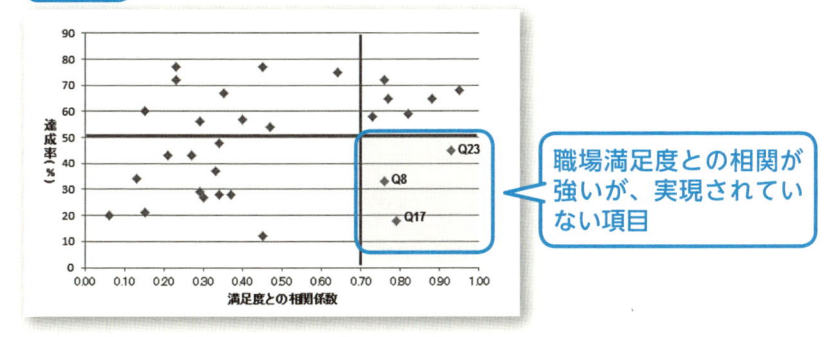

（グラフ：横軸「満足度との相関係数」0.00〜1.00、縦軸「達成率(%)」0〜90。右下エリアにQ23、Q8、Q17がプロットされている）

→ 職場満足度との相関が強いが、実現されていない項目

は相関係数を 0.7、達成率を 50％としました）のエリアに「職場満足度との相関が強いが、実現されていない」項目が、抽出されます（このケースでは Q8、Q17、Q23 の 3 項目）。これらが、"優先度を上げて取り組むべき課題" と言えます。つまり、「手を打てば目的に対して効果的ではあるものの、改善余地の大きい課題」を、相関を応用して、効果的にあぶり出したことになります。

A 君が見つけた「効果的な販売施策」

A 君のケースに話を戻しましょう。A 君は、限られた予算の中で、効果的な販売施策の計画を提案しなくてはなりません。相関分析の結果から、A 君はローカル TV コマーシャルとディスカウント・チケットにリソースを優先的に配分することを提案に盛り込みました。

このようにデータに基づいた分析結果を用いて選択肢を比較することで、より適切な選択肢を、客観的に絞り込むことができます。

重点施策	相関係数
ローカル TV コマーシャル（1 か月分効果シフト）	0.88
ディスカウント・チケット	0.90
店頭イベント	0.36

第 4 章　何が成功要因なのか　データで将来を見通す「相関分析」

A君のケースでは、3つの施策だけを分析しましたが、一般的には、もっと多くの選択肢の中から選ぶこともあると思います。

　1つのテーマに対して、**関連する選択肢が多いほど、それぞれの要素が互いに独立しておらず、疑似相関などが多く発生する可能性も高まります。**

　たとえば、商品人気度に影響（関連）するものとして、価格、パッケージ、機能、ブランド、接客態度、アフターサービスなどが考えられます。その中でも、たとえば接客態度やパッケージとブランドはお互いに相関があるはずなので、個々の要因の商品人気度への影響（相関）を完全に独立して分析することは難しいはずです。データを選ぶ際には、この点にもよく注意しましょう。

TVコマーシャルとディスカウント・チケット
どちらがどれくらい売上増に貢献するのか

　さて、恐らく問題意識の高い人は、早速次の疑問が湧いてきているかもしれません。
　「なるほど、相関を使って2つのデータの関係の強さを示すことができることはわかった。では、そのデータの関係を数値で示すことはできないだろうか。つまり、A君の例では、同じ100万円の支出でも、ローカルTVコマーシャルと、ディスカウント・チケットでは、どちらがどれくらい売上増に貢献するのだろう」
　どうでしょう。
　実際に予算を使う立場に立てば、ここまでわかってはじめて、お金を使う価値がわかるものです。
　この点については、次章で見ていくことにしましょう。

　A君は、効果的に販売を支えるための施策として、「ローカルTVコマーシャル」と「ディスカウント・チケット」の2つを計画の柱に据えることを決めました。
A君　「いやあ、ローカルTVコマーシャルの効果がいつ現われるか、なんて考えもしませんでした！」
上司　「そうだね。現実とデータを付き合わせて考えていくことが必要だね。これで、一定の効果がありそうな施策が見えてきた。ただ、いくら効果があっても、それ以上に費用がかさむんじゃ話にならないよな。"費用対効果"、この経営視点も忘れないように頼んだよ！」

コラム 3種類以上のデータの相関係数を同時に求めるには

本章では、相関係数を求める手法の1つとして、ExcelのCORREL関数を紹介しました。これは、2種類のデータがExcel上に並んでいれば、分析結果を得るまでに数秒とかからない、大変便利な機能です。そのため、思い付いたらその場で、「パッと試す」ことに時間的・心理的なハードルも全くありません。

一方、あるテーマに対して、2つどころでなく、多数の関連データがある場合もたくさんあります（たとえば、ある商品の販売関連データや、多数の質問からなる従業員意識調査など）。

もし、10種類のデータがあり、それらを2種類ずつ組み合わせると、45通りものパターンが出てきます。いくら数秒の分析とはいえ、この45通り全てを繰り返すのは苦痛ですよね。

そこで、より多くの種類のデータの組み合わせにも一発で対応できるExcelの機能を紹介します。

まず、Excelに搭載されているアドインの機能を用いて、「データ分析」を選んでください（以降、Excelのバージョンによって手順は異なります）。

「分析ツール」の中から、「相関」を選択します（**図4-22**）。

図4-22

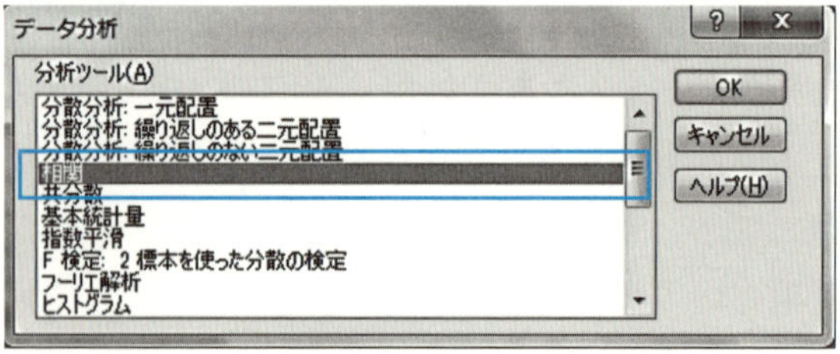

すると、図4-23の画面に移りますので、データが並ぶ範囲を「入力範囲」の欄に、結果を表示したいセルの番号を「出力先」に指定します。

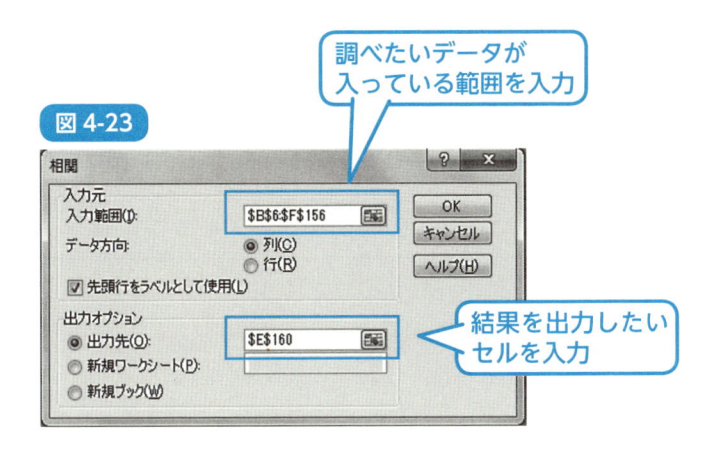

図 4-23

調べたいデータが入っている範囲を入力

結果を出力したいセルを入力

実際に使ってみましょう。

一例として、イギリスのシンクタンク nef（the new economics foundation）が発表している幸福度調査 HPI（HappyPlanetIndex）を使ってみます（http://www.happyplanetindex.org）。

ここでは、各国の幸福度にかかわる指標を集めて公開しています。

その中から、寿命、幸福度、人口、（経済指標として）GDP/Capita、ガバナンスランク（その国の統治の度合い）の5種類のデータを取り上げ、それぞれの間の相関を見てみましょう。

Excel 分析ツールの相関機能を用いて、150か国分のデータを分析した結果が次ページ図4-24です。

5種類のデータそれぞれの組み合わせの相関係数が一覧で表示されます。

同じデータ同士は当然一致している（すなわち完全な相関）ので、相関係数が"1"になっています。

図 4-24 幸福度の相関を分析する

	寿命 (0-10)	幸福度 (0-10)	人口	GDP/Capita ($PPP)	ガバナンスランク (1 = highest)
寿命 (0-10)	1				
幸福度 (0-10)	0.71	1			
人口	0.00	− 0.03	1		
GDP/Capita($PPP)	0.66	0.70	− 0.07	1	
ガバナンスランク (1 = highest)	− 0.67	− 0.63	0.06	− 0.75	1

　その他 0.70 を超える大きさの相関係数に注目すると、次のことがわかります。

- 「寿命」―「幸福度」（相関係数：0.71）……長生きが人間としての幸福の 1 つなんですね。
- 「幸福度」－「GDP/Capita」（相関係数 0.70）……「お金で幸福は買えない」と言われますが、やはりお金は重要みたいです。
- 「GDP/Capita」―「ガバナンスランク」（相関係数－ 0.75）……係数がマイナスなのは、「ガバナンスランク」が小さいほどガバナンスが効いていることを示すためです。経済的に恵まれている国のほうが、国としての統治も効いているということを示しています。

　この結果は、一般的な認識とも一致しているのではないでしょうか。人口の大小は、その他の指標とはほとんど関係ないことは明らかみたいですね。
　他にもこの表から、推測できることはたくさんありそうですので、みなさんも考えてみてください。

第 5 章

目標達成に必要な予算はいくらか？

企画の計画性・収益性をつかむ「単回帰分析」

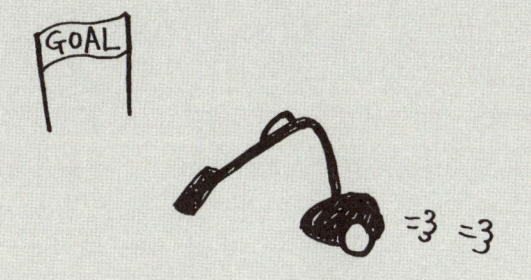

計画達成のために
いくら必要か？

A君　「本当に相関ってすごいですね。今まで『店頭イベント』には効果があると思って相当なお金をつぎ込んでいましたが、本当に有効かどうかは、今までだれも確かめたりはしていませんでした。相関を使ってデータとデータの関係の強さがわかれば、なんとなく経験的に言われていたことも、みんな数字で可視化できてしまいますね」

上司　「そうだな。使い方さえ誤らなければ相当強力な武器になることがわかっただろ？
　　さて、そろそろ事業計画も大詰めだ。市場の規模も想定したし、リスクも見てきた。今回有効な施策がわかったところで、さて、A君……。君の計画を承認してもらうためには、何を最終的に訴えればいいかわかるかな？　君が判断する立場だとして、何をより所に判断する？　それが今回の"肝"であり、計画の根幹だ。今の状態でそれを全て出しきれているかな？」

A君　「そういえばここまで、色々と情報は集めてきたのですが、どうやって最後をまとめるかまでは考える余裕がありませんでした」

上司　「そう。A君が集めたり分析した情報自体に問題があるというよりも、アプローチの仕方を見直していくことが、今後のA君にとって大事だと思うんだ。抜けていることや大事なことを、気付

いた順番に積み上げてきたのが、今回のA君のアプローチ。でも、本当に大事なのは、**必要な判断（結果）は何で、そのためには何が必要かを遡って考える"逆算"アプローチなんだよ。**

最初に『仮説思考』について話したのが、まさにこれ。今回A君は初めてだったので、意図的に『積み上げ式』のアプローチの中での気付きを大事にしながら進めてもらったんだ。でも、本来は最初に言いたい結論があって、そのために必要な情報を集めることが効果的かつ効率的であることはすでに説明した通りだ。今回いくつかの統計手法を学んだんだ。次回からはその手法を頭に入れながら、仮説思考を忘れずに進めてくれ」

A君　「はい、そうでした。次から次へと新しいことだらけで、すっかり頭から抜けていました」

上司　「じゃあ、もう一度聞くけど、君が判断する最終の決め手はもう示せているかな？」

A君　「えっと、自分が決めるとして……。この市場で、5年間の中期計画が達成するためにも、まずは初年度、何がどのくらい必要かってこと、ですね」

上司　「そう。A君が決めたローカルTVコマーシャルやディスカウント・チケットは、今のままでは計画達成のために一体いくら必要なのかわからないよね。それでは、その計画にGOサインは出せないよな」

A君　「確かに。**これだけの予算を使って、これだけの売上が想定されるから目標に到達する。そのためにこの市場に参入する価値がある、と言える**ってことですね」

上司　「その通り。それを統計的に数字で示すことができれば、ゴールはもうすぐだ。もうひと踏ん張り頑張ろう！」

「ガッツ」プランでなく、計画を客観的にサポートする「単回帰分析」

　今回、B国参入の前提として、A君の会社は参入当初の販売（9万台）に対して5年間で2倍までその販売を拡大することを中期目標として求めています。その達成のためには、何にどのくらいの費用が必要なのかを示すことなしには、事業計画の是非は判断できません。なぜなら、予算の範囲内の費用で目標が達成できない計画など、意味がないからです。

　そのためには、販売を左右する要因を特定し、その要因がどの程度販売に影響するのかを知る必要があります。
　「販売を左右する要因」つまり販売との関係の強さから要因を特定するための分析方法が、前章で見た「相関分析」でしたね。
　相関分析は、その簡便な操作とシンプルに結果を示せることから、非常に使いやすく便利な手法です。一方で、その便利な相関分析から導き出せるものは「両データの関係の強さ」のみであり、「2つのデータはお互いにどのような大きさの関係か」、つまり、「お互いの関係を数値的に表わしたもの（これを定量的関係と言います）」については、何も語ってはくれないのです。

　この「数値的な関係（定量的関係）」というのは、因果関係などの関連性のことではなく、お互いのデータを結ぶ数式で表わされます。

　では、相関関係にある2つのデータは、どのような数式で表わすことができるのでしょうか。
　「相関」とは、比例関係を指すのでしたね。そして、2つのデータX

とYの比例関係を指す数式は、一般的に次の式で示せることを思い出してください（中学校で習っているはずです）。

Y = aX + b（a、bは定数）

この式のaとbの値が具体的にわかれば、XとYの間の数値的な関係がわかり、期待するアウトプットY（たとえば"売上額"や"集客数"など）に対して、どのくらいのインプットX（たとえば、"費用"や"人数"など）が必要になるのか、割り出すことができるのです。

この、相関関係にあるデータXとYの数値的な関係を導き出すための分析が、**「単回帰分析」**と呼ばれる手法です。

「何円使えばどれだけの効果が上がるか」を予測する

では、単回帰分析を使って、相関関係にある2つのデータ（XとY）の定量的な関係（数式）を導くことは、実務のどのような場面で活躍するのでしょうか。

たとえば、売上と広告宣伝費の関係が定量的にわかれば、**「あと100万円売上を伸ばすために、広告宣伝には10万円つぎ込む必要がある」**といったことが具体的に示せます。

また、気温と観光地への旅行者数の定量的な関係がわかれば、**「今週末の日中の予報は15度だから、来場は500人くらいだろう」**といった予測にも使えます。

いずれも、すでにわかっている（決まっている）一方のデータを数式に用いて、目的とする他方のデータを予測（算出）しているのです。

相関分析同様、2つのデータの単位の違いも、数値の大きさの違いも問いません。そのため、応用範囲はとても広いのです。

A君のケースでも、この単回帰分析を利用することで、計画したYを達成するために、具体的なインプットとなる費用や人数などのXがどのくらい必要なのかを計画に入れることができます。

　事業計画の視点からは、計算上必要とされる費用や人数などが、予算オーバーであれば承認されないでしょうし、逆に予算オーバーであっても、売上や利益などアウトプットの部分も予算（計画）を上回ることが示せればOKとなるかもしれません。

　いずれにせよ、必要とされるコストの大きさを数字で示さないことには、判断が付きませんからね。

「回帰式」で2つのデータの関係を示す

　単回帰分析のゴールは、2つのデータXとYの関係を示す数式の定数a、bの値を求めることです。それさえあれば、Y=aX+bの数式（**回帰式**と呼びます）が完成するからです。

　ただし、"どんな"データXとYでもよいわけではありません。当然、両者には関係（相関）があることが前提です。なぜなら、そもそも関係（相関）のない、データの関係を示す式が、計算上、求められたところで、その信頼性はないからです。

　つまり、あくまで一定の相関（たとえば私は0.7以上を目安にしています）があることが相関分析で確認されたデータについて、（その延長として）回帰式を求める、という流れが必ずあります。

　では、具体的にどのように分析をするのか、その手順をExcelを使った例で見てみましょう。

「単回帰分析」は散布図からスタート

　第4章で、相関分析の際に、相関係数だけに頼らず、極力散布図で視覚化することをお勧めしたことを思い出してください。これは、視覚的にしか確認できないデータの特徴や、外れ値の影響などを見つけることが目的でしたね。

　実は、散布図を作ることには、もう1つ目的があります。それが単回帰分析なのです。

　単回帰分析は"散布図"からスタートします。散布図に示されたデー

タに最もよく当てはまる直線が、求める回帰式となります。

"最もよく当てはまる"の意味を理解することは、回帰分析の仕組みを理解することそのものですので、詳しく説明します。

「最もよく当てはまる」とは？　「R-2乗値」が意味するところ

図5-1は、第4章で見たディスカウント・チケットの費用と売上高の関係を散布図にして、データの真ん中を通りそうな直線を加えたものです。ディスカウント・チケット費用と、売上高が完全な相関（比例）関係にない限り、データの点は一直線上に並ぶことはありません。直線を引くとどうしてもそこから外れることになります。

ただ、どうしても1つの直線でそのデータの傾向を表わしたいとなれば、各データの直線からの**「外れ度合い」が最も小さい直線を選び、それを"最もよくデータの関係を表わした"直線とするしかないのです。**このように選ばれた"最適な"直線が、すなわち今、求めようとする**回帰式**になります。

分析では、各データから直線までの距離の合計が最小となるときの直線が、回帰式として算出されます。

また、いくら距離の合計が最小とはいえ、あまりに算出された回帰式

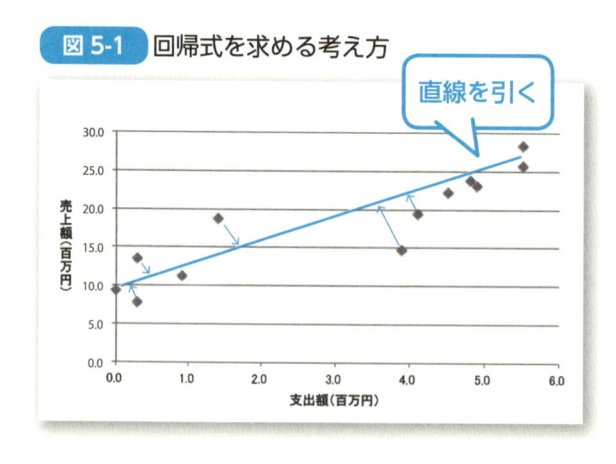

図 5-1 回帰式を求める考え方

と各データの点が乖離していれば、その回帰式がデータの傾向を示すものとして適切だとは言いきれません。そのために、算出された回帰式がどの程度元のデータを適切に表わしているか（つまり、データと回帰式との距離の合計がどの程度妥当な範囲であるか）を示す指標があります。

その指標を「R-2乗値(あーるじじょうち)」と呼び、「R^2値」と表記されることもあります。

では、R-2乗値を理解するために、「各データと回帰式の距離の合計が小さい」についてもう一度考えてみます。

「各データと回帰式の距離の合計」の理論上の最小値とは、ゼロです。これは、すなわち全てのデータが回帰式の直線上に乗っていること（データから回帰式までの距離はゼロ）を意味していますね。

この状態を、第4章では「完全な相関」として紹介したことを覚えていますでしょうか？　その状態から、各データが直線から離れていくに従って、相関（比例）関係は徐々に弱まっていくということでした。

実はこの考え方がそのまま、単回帰分析のR-2乗値にも当てはまるのです。

R-2乗値も、もし全てのデータが回帰式上にあり、回帰式がデータ全体を完全に表わしている場合、その値は1となります。各データが直線

図5-2 データの比例関係と、相関、R-2乗値との関係

全てのデータが、回帰式（直線）の上に乗っている
=
全てのデータから回帰式までの距離はゼロ
（上に乗っているため、乖離している距離が全くない状態）
=
全てのデータが比例関係にある
=
完全な相関（相関係数は1）＝R-2乗値も1

第5章　目標達成に必要な予算はいくらか？　企画の計画性・収益性をつかむ「単回帰分析」

から離れるに従い、R-2乗値は1から小さくなり、最終的にはゼロになります。R-2乗値は相関係数と異なり、マイナスの値を取りません。

図5-3に、散布図から回帰式（散布図中の直線と数式）とR-2乗値を求めた結果を示します。また、散布図データの相関係数 0.90 も併記しました。

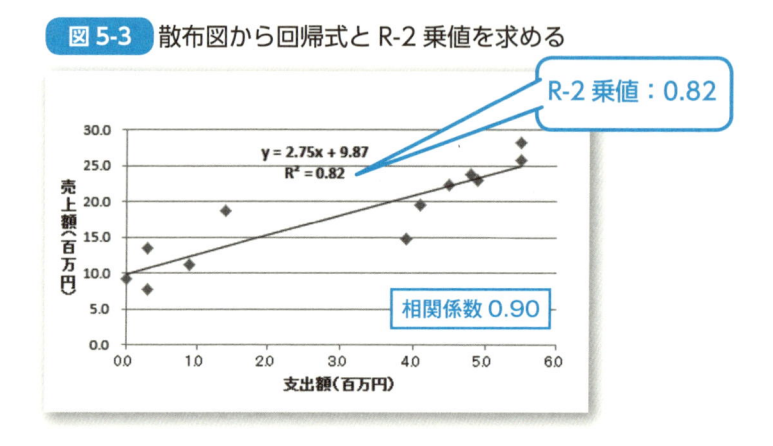

図5-3 散布図から回帰式とR-2乗値を求める

$y = 2.75x + 9.87$
$R^2 = 0.82$

R-2乗値：0.82

相関係数 0.90

Y（売上額：百万円）＝
2.75 × X（ディスカウント・チケット支出額：百万円）＋ 9.87

この例では、「$y = 2.75x + 9.87$」という回帰式が 0.82 というR-2乗値とともに得られました（Excelを使って求めた場合、同時に表示されます）。

ここからたとえば、ディスカウント・チケット額百万円当たり、売上が275万円（＝2.75百万円）増える、といった定量的な関係がわかります。

また、仮に目標とする売上額が予め2,000万円（＝20百万）と決まっていれば、Yにその値を代入し、そのときに必要なディスカウント・チケット額Xを逆算することもできます。つまり、$20 = 2.75 \times X + 9.87$ の方程式を解けば、X＝約3.7つまり370万円のディスカウント・

回帰式が使えるかどうかは、R-2乗値「0.5」以上が1つの目安

　分析結果を判断する際には、分析者が勝手に良し悪しを判断するのではなく、何かしらのガイドがほしくなるものです。しかし、残念ながら相関係数同様に、「R-2乗値が××以上であれば、回帰式は適切」といった決まったガイドはありません。

　それについて考えるときに、もう一度図5-3を見ていただきたいのです。何かここから気が付いたことはありませんでしょうか？

　相関係数と、R-2乗値をよく見比べてみてください。そしてR-2乗値の「2乗値」という表現です。

　実は、R-2乗値はそのデータの相関係数を二乗したものにほかならないのです。いずれの指標も、直線からの乖離度合いを示したものであることから、つながりがあって当然なのですが、非常に近い関係にあります。また、二乗しているが故に、相関係数がプラスであれマイナスであれ、R-2乗値は必ずプラスの値を示すことになるのです。

　では、実務上、ある程度信頼できるR-2乗値とはいくつを想定すべきなのでしょうか。相関係数のところで、私の実務上の経験値として0.7という数値を紹介しました。これと同じ考えを適用すれば、その際のR-2乗値は0.49（＝0.7×0.7）ということになりますね。このように、実務で使えると私が考える、信頼できるR-2乗値は、ざっくりと0.5以上としています。先の例での0.82というのは、十分この基準を満たしていると言えるでしょう。

Excelで「単回帰分析」をしてみよう

次に、単回帰分析のExcelでの実施方法をご紹介しましょう。158ページ図5-3と同じ散布図からスタートします。

① この中のどれでもよいので1つデータ（点）を選び、右クリックします。

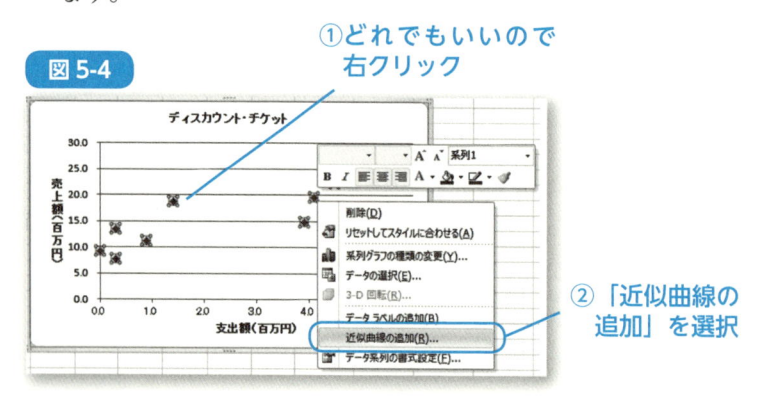

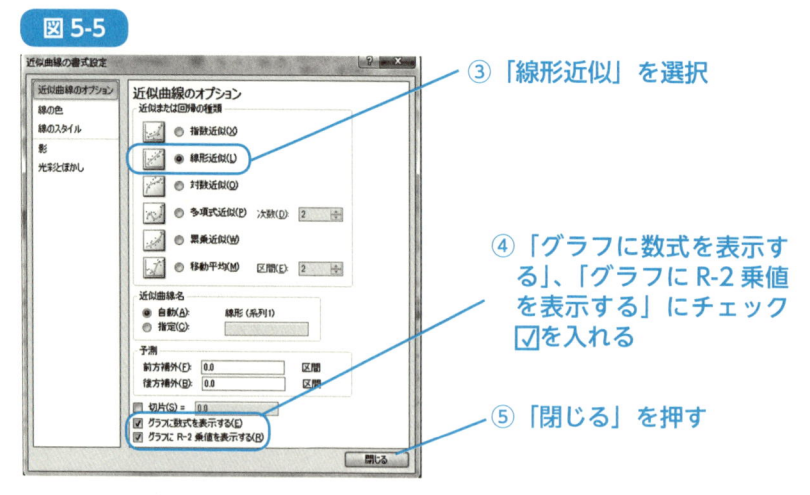

図 5-4

①どれでもいいので右クリック

②「近似曲線の追加」を選択

図 5-5

③「線形近似」を選択

④「グラフに数式を表示する」、「グラフにR-2乗値を表示する」にチェック☑を入れる

⑤「閉じる」を押す

② すると、図5-4右下の画面が出ますので、この中から「近似曲線の追加」を選んでください。
③ 図5-5の画面が出てきますので（フォーマットはExcelのバージョンによって、異なります。Excel2007以前は、複数のタブから構成されています）、この図のように「線形近似」を選びます。
④ 下にある「グラフに数式を表示する」と「グラフにR-2乗値を表示する」にチェックを入れて「閉じる」を押します。これで、自動的に回帰式とR-2乗値を散布図上に表示してくれます。

このように、操作自体は非常にシンプルで簡単です。したがって、

データ準備　⇒　相関分析　⇒　散布図作成　⇒　単回帰分析

という一連の流れを行なうのに、ほとんど時間を要しません。そのため、多くのデータを使って、トライアンドエラーを繰り返すこともさほど苦になりません。もちろん、データの間に一定の相関関係があることが前提ですが、相関分析の時点で、十分な相関係数がなければ、そこでストップすればよいだけのことです。

ちなみに、単回帰分析は比例（直線）関係だけに限ったものではありません。図5-5からもわかるように、直線以外の複数の関数に従ったケースも存在します。理論的には、色々な関数への当てはまりを試したうえで、選ぶということもありだと思いますが、専門家以外の人にプレゼンすることを考えれば、直線を前提としたものが、最も理解されやすく、説得力があるというのが私の経験から言えます。

いきなりLogやExponential（指数関数）が出てくる関係を示しても、「分析精度はよくても、理解されず」という結果に終るリスクが高いのです。見た目は数学的でカッコよいのですが、学術的な場を除いて、大抵は相手に理解されず、徒労に終るのが私の実感です。

「企画の計画・収益性」を知る
どちらが、どのくらい、より効果的なのか

　A君のケースに戻りましょう。「ローカルTVコマーシャル」と「ディスカウント・チケット」の支出と売上との関係について、単回帰分析を行なった結果、図5-6、5-7のような回帰式が得られました。

図5-6 「ローカルTVコマーシャル」の支出額と売上額

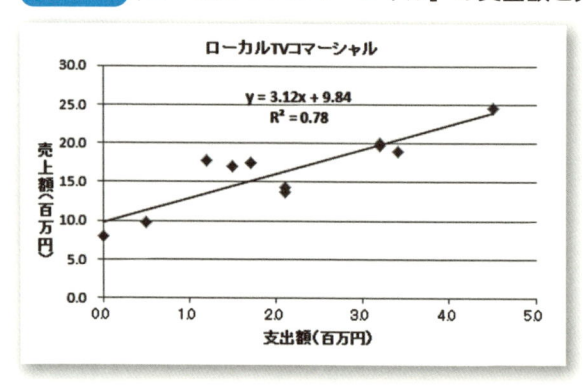

ローカルTVコマーシャル
$y = 3.12x + 9.84$
$R^2 = 0.78$

図5-7 「ディスカウント・チケット」の支出額と売上額

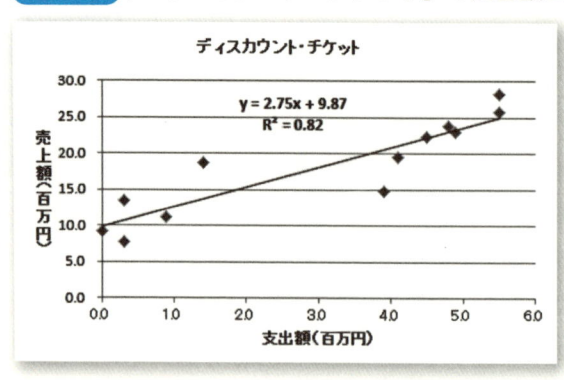

ディスカウント・チケット
$y = 2.75x + 9.87$
$R^2 = 0.82$

- ローカル TV コマーシャル：
  売上額（百万円）＝ 3.12 ×支出額（百万円）＋9.84
- ディスカウント・チケット：
  売上額（百万円）＝ 2.75 ×支出額（百万円）＋ 9.87

「両者を比較したときに、どちらがどのくらい、より効果的なのか」や、「仮に１つの施策に特化した場合、どの程度の支出が必要となるのか」といった目的に対しては、これらの回帰式が役に立ちます。

<mark>「両者を比較したときに、どちらがどのくらい、より効果的なのか」</mark>については、支出額百万円当たり、いくらの売上額につながるのかを比較することでわかります。これを示すのが、回帰式の定数a、すなわち傾きの値です。この場合、3.12（ローカル TV コマーシャル）、2.75（ディスカウント・チケット）で、「ローカル TV コマーシャル」のほうが、より効果的（支出 100 万円当たり、売上額 0.37〈＝3.12－2.75〉百万円分多い）であることがわかります。

ここで思い出していただきたいのは、相関係数を見ると、若干ですが「ローカル TV コマーシャル」（相関係数 0.88：R-2 乗値は 0.78）のほうが、「ディスカウント・チケット」（相関係数 0.90：R-2 乗値は 0.82）よりも、売上額に対する相関が低い、という点です。つまり、<mark>相関の大小と、傾き（この場合、効果と捉えます）の大小とは関係がありません。</mark>

「傾きは大きいが、相関は大きいわけでない（＝当たれば効果は大きいが、効果につながる可能性が高いわけでない）」ものと、「相関は大きいが、傾きは大きいわけでない（＝効果につながる可能性は高いが、効果が大きいわけではない）」ものとを単純に比較して選択することは、それほど単純ではありません。「効果の大きさと可能性の大きさ」を天秤にかけた選択と言えますが、これに優劣を決める絶対的なルールはないためです。

A君のケースでは、双方相関係数が高いので、この点で迷うことはないと思います（ちなみに私の場合は、相関係数が0.7以上のものは、基準を超えた合格グループと捉え、細かい数値の差で優劣を考えないことが多いです）。

もちろん、これらはそれぞれ独立した状況（同時に実施していない）を前提としているため、同じ場所（市場）で同時に行なえば、この回帰式そのものを使うよりも、データの種類を多く含む重回帰分析（コラム参照）を使うほうが、より適切な結果を得られるかもしれません。

「回帰式」の結果をどう判断するか

では、この回帰式の結果をA君はどのように使うことができるでしょうか。

今回の市場参入で求められる売上額を年間38億円とします。

D国のデータで求めた回帰式は、限定したエリアでの分析でした。B国全体は、このエリア（商圏）の範囲5つ分の規模だとしましょう。

すると、たとえばローカルTVコマーシャルを前提に考えると、年間の売上は、

> 3,800（百万円）＝（3.12×支出額〈百万円〉＋9.84）×5（エリア分の市場）×12か月

の式で示せます。

これを「支出額」について解くと、約17（百万円）となります。これは、D国での1エリア分、1か月分になりますので、これに5（エリア）と12（か月）を掛けて、1,020（百万円）つまり約10億円が年間で必要となる支出額と算出されます。これは売上予算（38億円）の約26%（＝10÷38）となります。

同じように、若干効果の劣る「ディスカウント・チケット」では、当

然必要な支出額は増え、約12億円が必要と算出されます。こちらは、売上予算に対して、31%を占めます。

　これら2つの施策を交えて（たとえば期間を変えて）行なうのであれば、必要な年間の支出額は10億～12億円の間のいずれかになると想定されますね。

　新規市場に参入するために、この初年度の支出計画が妥当か否かは、経営判断事項です。業界や商品によっても大きく異なるでしょう。また、そもそも額として、予算の枠に入るか否かという視点もあります。

　ただ、その判断を下すための情報として、データに基づいた計画値を示すことにも、回帰分析による「数式化」の力が発揮できそうですね。

> もっと回帰分析を使いこなすために①
> # 「傾き」から効果や効率を見る
> いくら出すといくら儲かる？

　単回帰分析の結果、2つのデータXとYの定量的な関係がわかり、一方のデータを入力すれば、他方のデータの値が算出でき、それが将来の予測や、Y（たとえば売上）を満たすために必要なX（たとえば経費）が割り出せることがわかりました。

　でも、回帰式を利用した実務への応用はこれだけではありません。

　ここでいくつかの方法を紹介していきます。

「傾き」から費用の効果や効率を見る

　A君が相関分析から導いた、「ローカルTVコマーシャル」と「ディスカウント・チケット」の2つの施策について、次の回帰式が得られましたね。

- ローカルTVコマーシャル：　売上額＝3.12×支出額＋9.84
- ディスカウント・チケット：　売上額＝2.75×支出額＋9.87

　回帰式 $Y=aX+b$ の a、すなわち傾きは、Xが1つ増えるごとにYがいくつ増えるのかの割合を表わす数値です。この例では、支出額が1つ（つまり100万円）増えるごとに、ローカルTVコマーシャルでは3.12百万円（312万円）増え、ディスカウント・チケットでは2.75百万円（275万円）増えることを意味します。

　これは、**"傾き"が、費用の"効率"そのものを示している**ことにほかなりません。

すなわち、費用対効果の観点から見れば、同じ額を使った場合、ローカルTVコマーシャルのほうが、ディスカウント・チケットよりも、大きな売上（効果）につながることになります。
　ただ、すでに述べたように、この傾きの値だけに引きずられ過ぎないために、以下の注意点も忘れないようにしましょう。

・相関が小さくないか
　いくら傾きの値が大きく、効率的でも、相関が小さければ、その実現性が下がるかもしれません。効果や効率は、「当てはまり度合い」を示す相関係数やR-2乗値とは関係ない、ということでしたね。

・現実を表わしているか
　直線（比例）を前提とした単回帰分析は、世の中を非常にシンプル化しています。
　A君の場合も、より現実的には、この分析結果をもって、ディスカウント・チケットへの出費を取りやめ、ローカルTVコマーシャルだけに全てをつぎ込めばよいということにはならないでしょう。同じプロモーションからの効果にはどこかで限界があるはずで、お金をつぎ込んだだけ無限に効果が現われることは想定しがたいからです。そのため、この単回帰分析の結果を2つの施策のバランス配分に活かす、ということが現実的なのではないでしょうか。
　大事なことは、現実の世界は、無限に直線関係が成り立つような事象は稀であるため、単回帰分析で得られた結果は、どの範囲までが適切かを、元データの範囲や、常識などから判断する必要があるということです。

もっと回帰分析を使いこなすために②
要因によらない結果を見極める
何もしなくても得られた結果は？

　今度は、Y=aX+b の **b** に注目します。b は切片と呼ばれ、データ X がゼロのときのデータ Y の値です。「データ X がゼロ」とは、A 君のケースでは、施策への支出額がゼロのとき、つまり施策の効果をゼロと見なしても実現するであろう売上高のことです。
　2 つのケースから、9.84 〜 9.87 百万円が、これに相当することが読み取れます。つまり、もし目標額がこの値以下であれば、そもそもそれ以上の費用を無駄にかける必要はない、とも言えます。

　では、これをどう活用すればよいのでしょうか。
　現実の世界では、なんの施策も打たず、お客様を待っているだけという売り方はしないはずです。そのため、実際に施策ゼロの場合の最低売上額を知る機会は通常ありません。一方、単回帰分析で得られた切片からは、計算上の理論値としてその値を知ることができます。
　もし、何か施策に費用を投じた結果として、仮に 1,200 万円の売上が立ったとしましょう。その 1,200 万円のうち、どのくらいが施策の効果によるものかを知るためには、施策をしなくても得られたであろう切片の値 987 万円をそこから引けばよいのです。
　この場合、残った 213 万円（=1,200 − 987）が、施策効果と見なすことができます。
　このようなシミュレーションを行なえることが、単回帰分析の魅力の 1 つです。

もっと回帰分析を使いこなすために③
分解して、より深い事実を見つける
開店時間をどうするか

　たとえば、新規に店舗を開くための検討事項の1つとして、開店時間の長さをどの程度にするべきか、が挙げられるでしょう。

　仮に、「開店時間が長ければ長いほど、売上は上がるはずだ」という仮説を持ったとします。この仮説を、複数店舗の売上実績から検証しようとすれば、まず開店時間と売上額の間に相関があるか否かを見てみるのでしたね。

　45店舗から集めた実績データを調べた結果、開店時間と売上高との相関係数は0.65であることがわかったとします。このデータで散布図を作り、単回帰分析をした結果を**図5-8**に示します。

　相関係数も、決して低くはないものの、「相関があります」と自信をもって言いきるには、ちょっと心許ない値ですよね。

　ここであきらめてしまうか、もう一歩突っ込んでみるかで、分析者の付加価値が問われる場合があります。

図5-8　開店時間と売上高の回帰分析

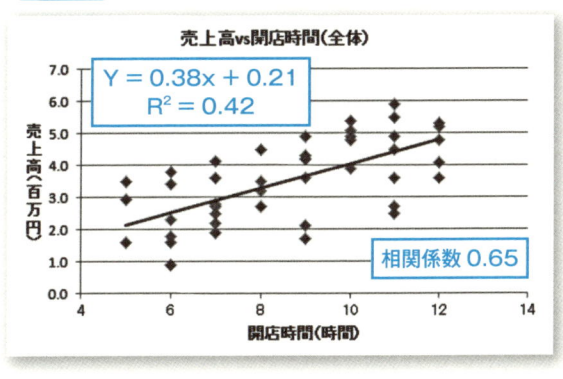

売上高vs開店時間（全体）

$Y = 0.38x + 0.21$
$R^2 = 0.42$

相関係数 0.65

（横軸：開店時間（時間）、縦軸：売上高（百万円））

その1つの手段が、第1章でも触れた、データの分解です。

本ケースでは、たとえば45店舗が新旧混じったものであることに目を付けたとします（この目の付け所は、分析者のセンスによるのですが、色々な分析経験を積むことで、視野の広さや勘所は徐々に養われていくはずです）。すると、今年初めてお客様の目に触れた新規店舗と、すでに地元に十分に存在を認知された店舗とでは、お客様のお店に立ち寄る傾向に違いがあるかもしれない、という仮説を持つかもしれません。

そこで、開店1年未満の新規店舗、開店後1〜5年の店舗、開店後5年以上の店舗の3つに分け、それぞれで単回帰分析を行なった結果が、図5-9になります。

いずれも、開店時間と売上の間にそれなりの相関関係がありそうです。ここで注目したいのは、回帰式の傾きaの値です。店舗が新しいほど、傾きの値が大きいですよね。

これは、「店舗が新しいほど、1時間多く開店した場合の売上増が大きい」ことを指しています。

このデータだけでは推測の域を出ませんが、「新規店舗のほうが、開店時間が長いほどお客様の目に留まる頻度も高く、物珍しさも手伝って、売上増につながる」と考えられるかもしれません。

いずれにせよ、店舗の古さを考慮しない元のデータから得られた、単回帰分析の結果（傾き0.38）と、新規店舗（開店1年未満店）に特化した結果（傾き0.75）とでは、倍近い開きがあります。

このように、データを分解して分析することで、より細かな分析結果を得られる場合があります。最初のデータで、R-2乗値が0.42だからそこで分析を終わりにしてしまうこととは、結果に雲泥の差を生むのです。

図5-9を、「分解の目」を持って分析した図5-10と比べてみてください。意味のある事実が浮かびあがってくるのではないでしょうか。

図 5-9　店舗の新旧による回帰分析

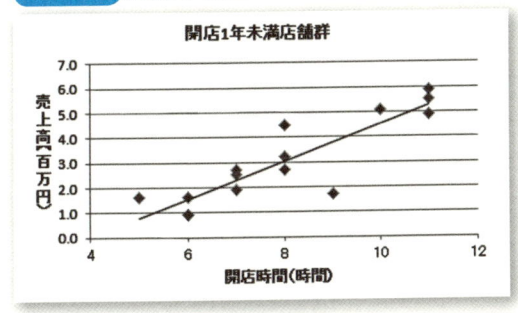

開店1年未満店舗群

$Y = 0.75x - 2.97$
$R^2 = 0.77$

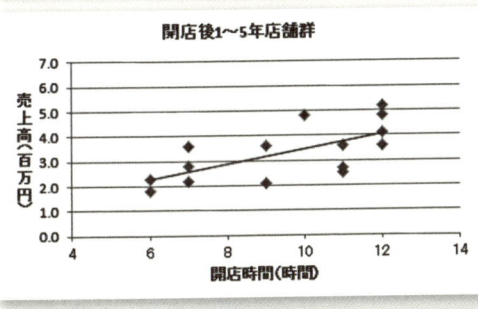

開店後1～5年店舗群

$Y = 0.30x + 0.46$
$R^2 = 0.42$

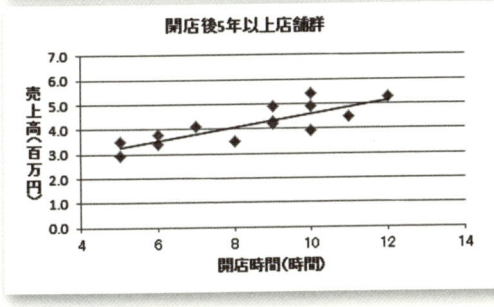

開店後5年以上店舗群

$Y = 0.27x + 1.92$
$R^2 = 0.67$

図 5-10　「分解の目」で見ると……

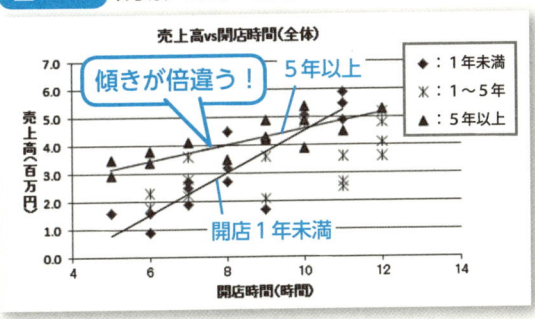

売上高 vs 開店時間（全体）

◆：1年未満
※：1～5年
▲：5年以上

傾きが倍違う！
5年以上
開店1年未満

第5章　目標達成に必要な予算はいくらか？　企画の計画性・収益性をつかむ「単回帰分析」

過去のデータ ≠ 将来

　単回帰分析の結果である回帰式は、一方のデータがあれば他方が自動的かつ論理的に算出される特徴を利用して、将来の予測に使われるケースが多々あります。そして、その予測は、「過去に起こったこと（データ）」に基づいており、**「将来も過去と同じ理屈が通るはず」という大前提に基づいています。**

　ここで、

「本当に過去のことが将来にも当てはまるのか？」

という疑問を持った人は、なかなかよいセンスをお持ちだと思います。が、これが回帰分析（その他多くの統計・データ分析も同様）の限界でもあるのです。

　「将来を予測する」とは言っても、それはあくまで「過去のデータに基づいたもの」であることをしっかり認識しておくことは大切です。その原理原則、限界を認識せずに、まるで魔法の道具のごとく、回帰分析結果に将来を語らせるのは、ときに判断をミスリードします。

　たとえば、変化の激しい業界で、数年前のデータに基づいた回帰式をそのまま使い、判断することは本当に正しいと言えるでしょうか？　また、過去にデータを集めたときの市場が今は変わってしまっているのに、それに目を向けず、分析に走ってよいのでしょうか？

　その意味で、回帰分析は「諸行無常」の概念とは相反し、**過去を固定的に捉えた「シンプル化」を行なっている事実を覚えておきましょう。**

　こういった批判的な目、思考は、結果的に分析の精度と質を左右します。前提や限界を知らずに分析結果だけを無思慮に提示することは、それらを十分認識している受け手（聞き手）には、ときに稚拙に映り、結果の信憑性にも影響を及ぼします。

　特に、ますます世の中やビジネスの動きや変化のスピードが上がっている時代には、この視点を持たないことは致命傷になりますので、くれぐれもご注意を。

もっと回帰分析を使いこなすために④
組織計画やKPI決定ツールとして使う

　新規市場に参入するには、販売計画はもちろん、そのための体制や仕組み作りもある程度見据えておく必要があります。新たに現地拠点を構えるかもしれませんし、本社などに、その市場対応の部署を設立することもあるでしょう。

　また、新規市場参入に限らず、ある組織の適正な人数や、目標とすべき管理指標（KPI:Key Performance Indicator）を何にするか、どう決めればよいのか、といった悩みは多くのところで耳にします。実際には「前例や関係者の総意などに従って、なんとなく」決めているところが多いのではないでしょうか。

　そのような課題にも、相関や回帰分析が役に立ちます。

　たとえば、部門や部署ごとに必要な人数を決める要因（指標）はどのようなものが考えられるか、それぞれヒアリングしてみます。

　すると、たとえば次のような答えが出てくるはずです。

- 人事：会社全体の従業員人数
- セールス：販売額、顧客数、店舗数、商品種類数
- マーケティング：商品カテゴリー数、対応言語数
- 経理：トランザクション数、海外拠点数

　ある指標と、各組織（部署や部門など）の人数との間に相関が見られれば、それが人数算定のための客観的な手掛かりになります。また、実際に何人配置すればよいのかは、回帰分析によって得られたその指標と人数との関係により、算出することが可能です。

図 5-11 効率的な人事部門を見つける

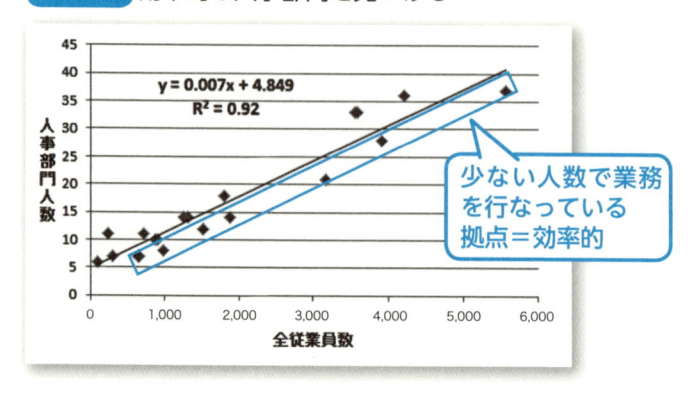

（グラフ：横軸 全従業員数、縦軸 人事部門人数、$y = 0.007x + 4.849$、$R^2 = 0.92$）

吹き出し：少ない人数で業務を行なっている拠点＝効率的

たとえば、人事の例を**図 5-11**で見てみましょう。

20拠点（海外・国内子会社など）から集めた、人事部門の人数と拠点全体の従業員数の散布図から、単回帰分析をした結果です。この分析から、相関関係が確認でき、回帰式からは従業員100人当たり約0.7人（0.007）の人事要員が"相場"であることがわかります。ただし、必ずしも、回帰式を元に算出して得られた"相場"が正解とは限りません。既存のデータに基づいて算出された"相場"（回帰式）より、効率的、スリムな組織にしたい、という目標があってもよいのです。

その場合、図5-11中、回帰式の線より下の点（データ）は、より少ない人数で業務を行なっている拠点を示していますので、この中から参考とすべき拠点を選び、その効率的な運営について学ぶ価値があるかもしれませんね。

各部署のKPIについても、これまで見てきたことの応用として、以下のプロセスで考えることができます。

（1）その部署が達成したいパフォーマンスを示す指標を挙げる
　例：（セールス部門の場合）新規顧客開拓数、成約率、顧客リピート率など

（2）会社や事業のパフォーマンスを示す指標を挙げる（売上、利益な

ど)
(3) (1)の中から、(2)と相関の高いものを選択し、部署のKPIとする
(4) 単回帰分析を用いて、達成したい会社・事業目標に対して、自部署で達成すべきKPIの目標値を算出する（例：「売上と相関の強い"顧客リピート率"をKPIとし、売上10％増達成のために、KPIの目標値を"現在の20％から35％に上げる"」など）
(5) 部署の活動内容が、そのKPIにつながっていることを、相関分析などによって定期的に確認する（例：「定期的な電話フォロー」や「DMの送付」、「メルマガの送付」などの各活動と、KPIである「顧客リピート率」との相関を見る。相関がなければ、活動が成果につながっていないため、活動内容を見直す）

個人レベルの目標値にも使える

さらに、個人レベルでのKPIや目標値を定める場合でも、これと同じアプローチができます。

つまり、もし「顧客訪問数」と「成約率」の間に強い相関があれば、部署の目標とする成約率達成のために、「顧客訪問数」という個人の目標を設定することは合理的です。成約率達成（50％など）のために、理論上必要とされる顧客訪問数も、単回帰分析から算出することができます。

もちろん、全ての部署（機能）が必ずしも何か比例（相関）関係にある指標を持っているという保証はありません。たとえば、経営企画部や総務部の人数など、事業の結果と直接比例関係にある指標を見つけるのが難しい（もしくは存在しない）ケースもあると思います。これらについては、部署の要件にそって（過去実績や他社事例などを参考に）個別に決めることが妥当でしょう。

ただ、KPIを決めるときに迷った際の、手段の1つとして、**「どの指標がよいかは"相関"で、どの数値にすればよいかは"回帰分析"で」**というアプローチを覚えておいて損はないでしょう。

A君　「ローカルTVコマーシャルが10億円、ディスカウント・チケットなら12億円が必要か。あとは、この予算が出るかどうかだなあ。でも、数字でハッキリ見えると判断もしやすいですね」
上司　「そうだね。ビジネスなんだから『多分このくらいだから、こちらがいいと思います』なんて、あり得ないからな」

　A君は、初めてのプレゼンテーションに向け、少し自信が出てきたようです。

コラム 単回帰分析と重回帰分析

「回帰分析」には、「単回帰分析」と「重回帰分析」があります。「単回帰分析」は、すでに紹介した通り、2つのデータ（XとY）の間の関係を示す数式を導くものです。一方、「重回帰分析」は、あるデータYに対して、2種類以上のデータとの関係を1つの式で表わそうとするものです。このデータを仮に、X_1、X_2、X_3……とすれば、次のような結果が求まります。

$Y = aX_1 + bX_2 + cX_3 + dX_4 + …… + n$ （a,b,c,d…nは定数）

もっと具体的な例で言えば、次のような式です（本例の数値はダミーです）。

顧客満足度（100点満点）＝ 2.1 × 接客態度評点 ＋ 3.5 × ブランド指数 ＋ 0.8 × 商品価格 ＋ 1.6 × ラインナップ充実度 ＋ 45.7

単回帰分析にせよ、重回帰分析にせよ、過去のデータから、数式の定数であるa、b、c…（単回帰分析では、aとbの2つだけ）を求めることがゴールになる点は全く同じです。

たった1つの変数（データ）で説明しようとする単回帰分析で、この複雑な世の中を説明するには、あまりに単純化し過ぎだ、という考えに対して、重回帰分析は、より複雑な状況をも回帰分析で解き明かしてくれる優れモノです。

それでも本章では、あえて単回帰分析のみを扱いました。それには明確な理由があるのです。
　「単」と「重」は文字1つの違いではありますが、両者を扱う難易度には非常に大きなギャップが存在します。
　データの数がX、Yの2つだけから3つ以上に増えた途端に、次のようなハードルが現われます。

（1）2次元（縦軸と横軸の関係）から、3次元以上になることにより、散布図が使えない。その結果、回帰分析の操作そのものが複雑になる（Excelの場合、「分析ツール」の中から「回帰分析」を選ぶと、重回帰分析ができます）。
（2）相関があるデータ同士がお互いに影響し合い、統計的に必要とされる要件を満たす分析が難しい（要件を満たすために、データの組み合わせを何度も変えたりする必要が生じます。その上、答えが得られない可能性もあります）。
（3）重回帰分析の結果を読み解くためには、それなりの知識が必要とされます。もちろん一度覚えてしまえば、どうということはありません。ただし、これを理解していない相手に分析結果を説得するには、この知識の説明から始めなくてはなりません。

　私は、実務で重回帰分析を使うこともあります。それは、単回帰分析だけではあまりに状況を単純化し過ぎていて、それだけでは、自分も相手も腹に落ちないことが明らかな場合や、とりあえず重回帰分析を試してみて、それなりに統計的要件を満たす結果が比較的容易に得られそうなことがわかった場合などです。ただし、すでに述べたいくつかの実務的なハードルから、使う頻度は決して高くはありません。

第 6 章

効果的なデータの見せ方・伝え方

メッセージをもって「数字」を伝える

ただ、「データ」を見せるだけでは伝わりません！

　新規市場開拓に必要な費用の想定額の算出も終りました。いよいよプレゼンテーションに向け、最終の準備段階に突入です。

上司　「やっと、提案に必要なネタが揃ってきたな。あとは、提案内容を承認してもらえるよう、いかに"見せるか"の勝負だな」

A君　「はい。これだけ数字も揃ったことだし、早速資料を作りにかかります！」

上司　「その勢いに乗ってお任せしたいところだけど、時間もないことだ。作り込みに大事なポイントだけは、伝えておくからね。よく頭に入れて、『考えながら』資料を作るように」

A君　「はい。でも『考えながら』ってどういうことですか？　もうネタは揃っているんだし、あとはこれを見せればいいんですよね？」

上司　「やっぱり……。それじゃあダメなんだ。いいかい、プレゼンは、料理と同じだよ」

A君　「料理……ですか？」

上司　「そう。同じ食材を準備されても、それらをどう料理するかによって、できあがったものの見栄えや味には雲泥の差が出るのと同じだ。同じデータを与えられても、それをどう見せるかによって結果は180度変わると言っても過言じゃない。そして、それは

今回の当事者であるＡ君、君の腕次第なんだよ！
単に結果を羅列するのではなく、それをどう見せると効果的なのかを見い出すのは、実はそう簡単なことではないんだよ。だからこそ、これを単なる作業と考えるのではなく、十分『考え抜いた』ものにしてほしいんだ」

Ａ君　「はい、なんとなく言わんとすることはわかったような気がしますけど……」

上司　「この段階こそ、作り手の創造力をフルに発揮して、最後のアウトプットに多くの付加価値を乗せられる絶好のチャンスとも言えるんだよ。Ａ君みずからが、大きな価値を生み出す、腕の見せ所だ」

Ａ君　「わかりました。でも、そのためにも、あと少しサポートしていただけると嬉しいのですが……」

上司　「よし。ここは正解のない世界だ。ポイントをいくつか教えるから、あとは自分の頭をよく使って、Ａ君なりに工夫し尽くしてごらん。期待しているよ！」

"分析すること"と"伝えること"は違う

　分析を一通り終えたA君、すっかり達成感に浸っているようですが、最後の最後で気を抜いては、せっかく苦労して出した分析結果も、その効果が半減してしまいます。

　分析結果を「うまく伝わる」ものにするために、どんなことに気を使うべきなのでしょうか。

　私は、**「分析する」というタスクと、「結果を伝える」というタスクは全く別モノ**だと考えています。それは、その目的はもちろん、頭の使いどころや必要となるテクニックなども全く異なるからです。

　ところが、実際の実務においては、分析者と伝え手（プレゼンテーター）が同一人物であることが珍しくありません。

　同じ人が両方のタスクをこなすこと自体が問題だ、ということではありません。1人が行なうにしても、大胆な「頭の切り替え」が必要だ、ということを覚えておいてほしいのです。

　一見当り前のことばかりですが、両者のポイントを次のように比較すると、その違いがよりクリアーに見えます。

図6-1 データ分析とプレゼンテーションの違い

	データ分析	プレゼンテーション（伝える）
主な目的	・データから特徴を見い出す ・予測やシミュレーション結果を得る	・伝えたいメッセージを理解・共有 ・同意・承認
主な手段	・統計手法、グラフ化など	・資料等で可視化 ・スピーチ、ジェスチャーなど
アウトプットの特徴	・同じデータ、同じ手法を使えば、だれでも同じ数値結果が得られる （結果の"解釈"は、人により異なる場合がある）	・アウトプットは、人により千差万別 ・絶対的な正解はない

こんなに違う２つのタスク（行為）であるにもかかわらず、「データ分析」にエネルギーと時間を費やし過ぎて疲れてしまったり、「データ分析」が終った段階で、ほぼ「ゴール」に到達したような気分に浸ってしまうことは、決して珍しいことではないのです。

一例として、**図６−２**をご覧ください。

図 6-2 分析結果とメッセージ

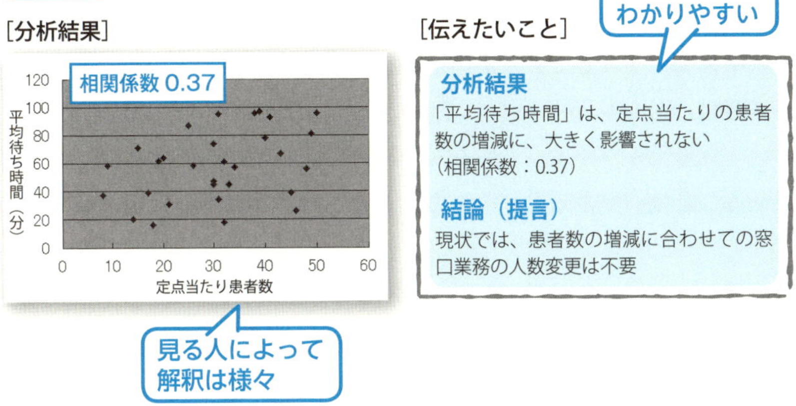

メッセージがわかりやすい
[分析結果]
相関係数 0.37
平均待ち時間（分）
120
100
80
60
40
20
0
0 10 20 30 40 50 60
定点当たり患者数
見る人によって解釈は様々
[伝えたいこと]
分析結果
「平均待ち時間」は、定点当たりの患者数の増減に、大きく影響されない（相関係数：0.37）
結論（提言）
現状では、患者数の増減に合わせての窓口業務の人数変更は不要

もし、左の図のように、分析結果をそのまま見せられて、「これが結論です。見ればわかるでしょ？」というアプローチを取られたらどうでしょう。

ある人は「待ち時間が１時間以上の人がこんなにいるのか。じゃあすぐに窓口を倍に増やす必要があるなぁ」と思うかもしれません。またある人は「相関係数 0.37 ってどういうことだ？　多少は関係があるってことが言いたいのかなあ。関係があれば、何をしたいんだ？」と疑問ばかりが生じるかもしれません。

このように、人によって、分析結果の解釈が異なる余地が必要以上に残ります。

一方、右の図は分析結果そのものを見せることよりも、分析結果に基づいた結論（メッセージ）をズバッと端的に受け手に提供しています。

これは、簡単そうに見えて、
「相手に何を知ってほしいのか」
「自分は、この結果を元に相手にどうしてほしいのか」
が、自分の中で、かなり明確になっていないとできない芸当です。

　常に目的に立ち返って必要な行動を決めるこの"目的思考"は、序章で紹介した仮説アプローチと重なります。つまり、自分の目的と意思を明確に認識することは、データ収集だけでなく、最後のメッセージ作りの段階まで、一貫して必要かつ重要なのです。なぜなら、最終的に伝えるべきは、分析結果そのものではなく、「そこから何を言いたいのか」という意思だからです（もちろん分析結果をサポート情報として併せて載せることは一定の効果がありますよ）。

　当然、「自分のための分析」や「分析のための分析」を目的とすることもあるでしょう。そのような場合でも、その結果を、目的に即して自分なりに咀嚼し、ポイントを浮かび上がらせようとする思考は同じです。
　でもビジネスの実務においては、受け手（相手）に理解・承認してもらうことが目的のケースが圧倒的に多いのではないでしょうか。相手を動かすことができないと、目的は達成されません。そのためにも、メッセージを効果的に伝えることがとても重要なのです。
　分析結果を生かすも殺すも、ここにかかっていますので、しっかり気を引き締めていきましょう。

わかりやすくメッセージを
伝えるために

　とはいえ、伝えたいメッセージを明確に相手に伝えるのは簡単ではありません。ここでさらにひとひねりもふたひねりも頭を使う必要があるのです。

　その答えは、100人いれば100通りあるのですが（"作業"には「答え」がありますが、"考える"ことのアウトプットには「答え」がありませんよね）、共通的に覚えておくとよい、いくつかのポイントについて見てみましょう。

"客観的なわかりやすさ"を失わないために

（1）分析したこと全てを見せようと思わない

　分析に苦労すればするほど、期待した結果が得られたときの満足感や充実感が格別なものに感じるのは、本当によくわかります。私もそうですが、そのようなときほど、「せっかくの貴重な分析の足跡と結果を、全て見せたい」と、親切心と自尊心とがごちゃまぜに感じられるものです。

　でも、ここで一歩引いて考えたいのは、
「それは**受け手（伝え手ではありませんよ）にとって、本当に"せっかくの貴重な"**情報なのか」
ということです。

　分析にかけた時間や労力に比例して、また結果が期待に沿ったものであればあるほど、分析結果に愛着が湧くのが人情です。

ただし、そこで頭を「分析者」から「伝達者（発表者）」に切り替えることが必要です。
　183ページの図6-2でも、「患者数が増えても待ち時間は変わらないので、（現状で問題がなければ）窓口対応を変更する必要がない」ことをメッセージとして伝えたいのであれば、何も相手に散布図を見せることは必須ではありません。
　一方、必須ではないものの、次のような情報を相手に提供することも可能で、分析結果を見せること自体を全否定しているわけではありません。

　たとえば、
- 実際の待ち時間は18～100分の間に収まっている（ここから、100分の人がいること自体問題だ！　という新たな課題発見につながるかもしれません）
- 定点当たり患者数は8～50人の間に収まっている（「へぇ～、そうなんだ」という程度の参考情報）
- 相関係数だけでなく、散布図の見た目からもデータに特段の傾向がないことを視覚的、感覚的に確認できる（言葉でなく、感覚的に全体を捉えられることによる安心感や納得感）

　繰り返しになりますが、これらの情報は、一番伝えたいメッセージを伝え、理解してもらうためには、「必須ではない」付加的な情報です。付加的な情報は、その分量にもよりますが、かえって一番伝えたいメッセージへの焦点や関心を削いでしまうことにもなりかねません。

　大事なことは、手にした情報（分析結果）の中から、目的を伝達するために必要（重要）な情報か否かという基準で優先度を決めることです。その高いほうから、見せる情報を選別します。

メッセージ伝達のために不可欠な情報は、全て取り入れることは言うまでもありませんが、それ以外の付加的な情報は、最小限にすることをお勧めします。

　分析をしてきた人にとっては、「当り前」として認識している基本的なことも、初めて聞く人にとっては、その情報を過大な情報の波として一気に受け取ることになります。どんなに優秀な人でも、一度に処理・理解できる情報量には限界があります。ポイントを絞ることは相手の十分な理解のため、ひいては相手に理解してもらうという自分の目的達成のためでもあるのです。

　自分で分析作業を進めてきた人にとっては、その情報を初めて見せられた人が、どこまで一度に受け止められるかが、見えなくなってしまいがちです。

　そのときには、自分の周りの人に、言いたいメッセージ（ゴール）を伝えた上で、プレゼン内容や情報量についてのフィードバックをもらうことも有効な手の1つでしょう。

（2）分析結果を文章で言い換えてみる

　一般に分析結果は、数値そのものであったり、人によっては聞き慣れない用語とともに示される、無味乾燥なものとなりがちです。特に、「相手に理解してもらい、動いてもらう、承認してもらう」ことが目的の場合は「分析結果を示す」こと自体がゴールでなく、目的に叶った形に加工したほうが、効果的な場合が多々あります（たとえば、文章にして意図を伝えやすくするなど）。

　元のデータをそのまま載せたり、たくさんのグラフが満載のプレゼン資料を目にすることがありますが、大抵の場合、かえって受け手に受け入れ難い感情を与えてしまいます。

図 6-3 分析結果を文章で言い換える

ローカルTVコマーシャル
y = 3.12x + 9.84
$R^2 = 0.78$

ディスカウント・チケット
y = 2.75x + 9.87
$R^2 = 0.82$

↓

ポイントがよくわからない

【言葉にすると……】

「ディスカウント・チケットと比べると、ローカルTVコマーシャルは、売上との相関はやや弱いものの、費用対効果が高い」

↓

ポイントがわかりやすい！

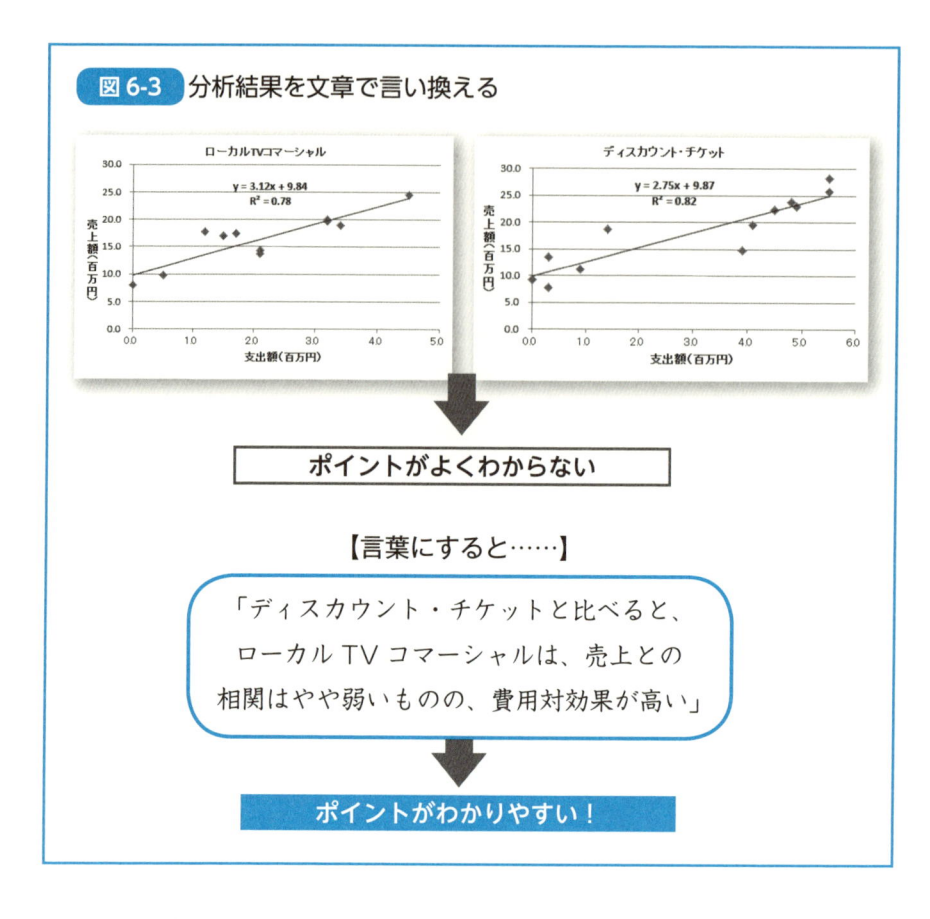

　このような場合、分析結果から引き出せるポイントを、簡潔な文章で表現するほうが、伝わりやすくなる場合があります。

　たとえば、次ページ**図6-3上**のように、分析結果を並べてその結果を数値的に確認するのではなく、言葉にしてみると、ポイントが頭にスゥーっと入ってくると思いませんか？

　分析結果を言葉に直す習慣を付ける効用はもう1つあります。

　分析をしていると、分析結果を出すことが目的となり、「何を言うために、何を必要としているのか」という本質を見失うことがあります。

　分析作業の途中でも、分析の結果が出るごとに、「その意味するとこ

ろは××××」という自分なりの解釈をする癖を付けることをお勧めします。このように、各分析結果が本来の目的に沿っていることを確かめておけば、目的の軸からブレることもなく、最終段階において、その文章をプレゼンのメッセージとしても活用できるからです。

（3）出典が結果の信憑性を高める

　細かい話ではありますが、ときに大きなパワーを発揮するのが、「出典」の記載です。

　分析に使うデータは、インターネットなどで、一般に公表された外部データを採用することも珍しくありません。しかしネット上の情報は、玉石混淆で、全て信憑性の高い情報であるとは限りません。情報そのものに信憑性がなければ、いくら高度な分析をしたところで、説得力はありませんよね。

　このような、つまらないところで、せっかくの結果の質を落とすことはありません。
　そのためにも、**常に情報源の出所を明記するように**心掛けたいものです。

　特に、その出典が、公的な、もしくは公的に認められた機関や組織であれば、その信憑性は、より高まります。見た人も、一定の安心感を持って見てくれることでしょう。余計なところで疑念を持たれず、安心感を与えることは、最も伝えたいメッセージをスムーズに受け取ってもらう上で、とても重要なポイントです。
　そのため、私の場合、たとえ分析に必要なデータが揃っていたとしても、その中に公的な機関のデータがなければ、あえて公的なデータの有無を確認することさえあります。

　もちろん、公的なものでなければダメだということではありません。

公的なものでなくても、出典を示すことは伝え手の誠意の現われであり、アカデミックの世界では常識（必須条件）の１つです。

　「そんなこと」と思われるかもしれませんが、ぜひこの点を気にして、色々な資料を見てください。書いていないもの、書いてあってもなんだか疑わしいもの、など必ずしも理想的なものばかりでないことに気付かれるのではないでしょうか。
　そのような中で、ビシッと出典を押さえたプレゼンは、一段質の高いものに仕上がるはずです。

数値だけでなく、視覚的に訴える！

「分析結果をかみ砕いて文章で伝える」のと同様、分析結果や、そこから得られる情報は、数値データだけで見せられるよりも、視覚的に見せられるほうが、感覚的に認識・理解されやすい傾向があります。「相手に伝える」ことが目的である伝え手にとって、この効用を積極的に利用しない手はありませんね。

データ分析での「視覚化」としては、表やグラフ化が最もよく使われる手法の1つでしょう。Excel等をベースとした、効果的なグラフ化のノウハウやテクニックは、数多ある他の書籍に委ね、ここではその他のいくつかのポイントを紹介します。

データ全体のイメージはグラフで示す

統計指標でデータの特徴を集約した場合などは、元の個々のデータは隠れてしまいます。受け手は、伝え手が加工した結果だけでなく、全体像も示されると安心する傾向があります。特に受け手が役員など上位者である場合には、全体が見えないことにフラストレーションを感じる人も少なくありません（ただ、過度に意味なく漫然と全体を見せることは、一番重要なメッセージにフォーカスを当てる際の障害となることは先に述べた通りです）。

そのような場合、全体をグラフで視覚的に見せることが効率的かつ効果的です。第3章で作ったヒストグラムが一例です。

図6-4 ヒストグラムで分析結果を見せる

分析結果だけを書くと…

販売価格情報
・データ数：500
・平均値：42,377円
・標準偏差：7,402円

→ 視覚化 →

分析結果をグラフで示すと…

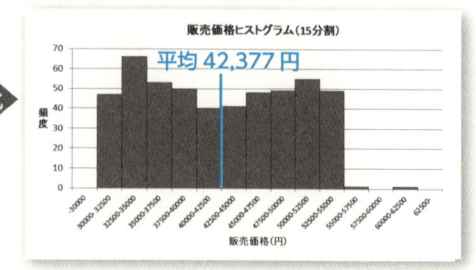

販売価格ヒストグラム(15分割)
平均42,377円

図6-4左にある文章で示した分析結果は、特徴を端的に伝えてはいるものの、データ全体のイメージはつかみにくいですよね。一方、右のようにグラフで示されると、瞬時にそのイメージがつかめます。どちらが、よいとか、正解というものではありませんが、グラフで示されるほうが、その全体像が伝わりやすいと感じられるのではないでしょうか。

伝えたいポイントを吹き出しで入れる

　データをグラフ化しただけで安心してはいけません。
　もう一歩踏み込んで、その中で特に伝えたいポイント（場所）をハイライトしましょう。
　矢印や吹き出しを使って、言いたいことを簡潔に述べると、そこに注目が集まります。グラフと文章の二本立てで、言いたいことをサポートできます。
　今度は、結果を"表"で表わした例で見てみましょう。
　図6-5の上の表は、A君が行なった相関分析と単回帰分析の結果をまとめたものです。結果を端的に比較して示しているという点では、シンプルに表現できていますね。
　一方、下の表は、伝えたいメッセージを強調し、「これを知ってもらいたいのです！」という内容を前面に押し出しています。常にどちらが

図 6-5 伝えたいメッセージを加える

分析結果を表にまとめたもの

重点施策	相関係数	支出100万円当たり追加売上見込み額（百万円）
ローカルTVコマーシャル（1か月分効果シフト）	0.88	3.12
ディスカウント・チケット	0.90	2.75
店頭イベント	0.36	

さらに、伝えたいメッセージをハイライトして加えたもの

重点施策	相関係数	支出100万円当たり追加売上見込み額（百万円）
ローカルTVコマーシャル（1か月分効果シフト）	**0.88**	3.12
ディスカウント・チケット	**0.90**	2.75
店頭イベント	0.36	

（注釈：費用効率がより高い／売上との関係が強い）

優れている、というわけではありませんが、目的や伝える相手によって使い分けると、より高い効果を狙うことができます。

たとえば私なら、担当者レベルでの検討資料であれば、上の表を作成し、口頭でポイントを補足しながら発表します。**結論めいたことを一方的に強調し過ぎることで、そのあとの議論の幅を狭めないようにする**ためです。

一方、こちらの結論はもう固まっており、その結論を理解・承認してほしい、というメッセージをエグゼクティブ（役員）に伝える場合には、下の表現を使うことが多いです。多くの課題を抱え、**限られた時間の中で、ピンポイントで判断を仰ぐ場合**などは、特にその傾向が強まります。

ここまで来ると、データの見せ方は、メッセージを伝え、人を動かすための「戦術」ですね。

このことは、グラフの種類が異なっても同じことが言えます。**図6-**

6に、ヒストグラム上に伝えたいメッセージをハイライトした例を示します。

図 6-6　ヒストグラムにメッセージを加える

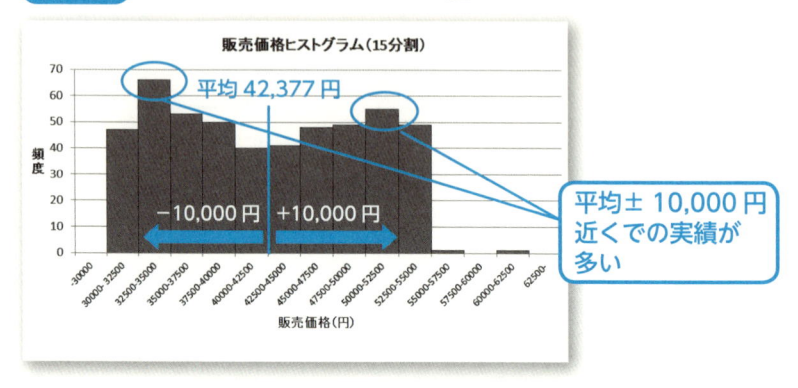

ヒストグラムで全体の概観を示すことはよいのですが、それだけでは、どこを見て何を知ってもらいたいのかが、人によってバラつくリスクがあります。この図を見て、ある人は「25,000 円もの範囲で差があるのか」とバラつきの範囲に目がいくかもしれませんし、他の人は「一番多いのは、3 万円前半か、安いなあ」と思うかもしれません。

全体を示す場合には、それだけ情報量も多くなり、たくさんのポイントが盛り込まれてしまいます。そのため、伝えたいポイントにフォーカスを当てることによって、全体像を示しながら、メッセージの発散や誤解を避けることができます。

ぜひ、多くの人のプレゼンの工夫を盗み取って、自分のバリエーションを増やしていってください。

比較してメッセージを強調する

　何も自分のデータを見せることだけが、手段ではありません。「他と比較する」ことで、メッセージをよりクリアーに強調することも可能です。

　図6-7の左図は、自社の販売価格の実績を示したヒストグラムです。もちろん、これだけでも伝えられるメッセージはいくつもあります。一方、"他のデータと比較する"ことによって、その差が大きい部分に、より強いフォーカスを当てることができます。その部分が、伝えたいポイントと合致すれば、メッセージを強くあぶり出すための格好の武器となることでしょう。

図6-7 比較して伝える

差が大きい部分にフォーカスが当てられる

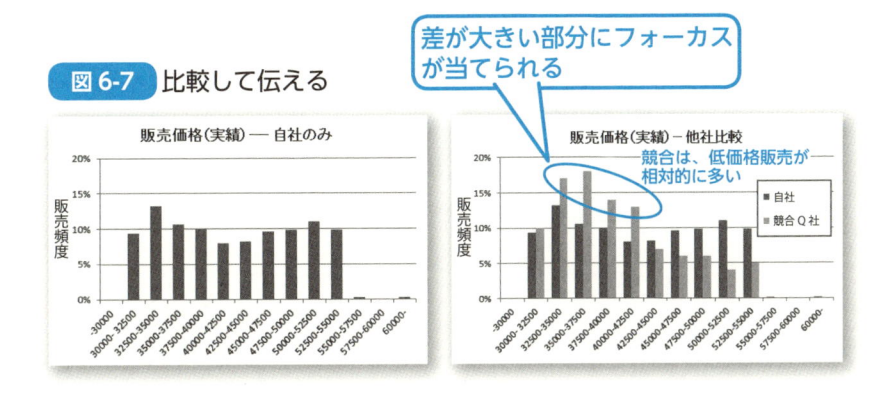

競合は、低価格販売が相対的に多い

　図6-7の右図は、同じ市場での競合他社（Q社とします）のデータを並べたものです。両者の価格ポジションを、相対的に一覧することで、Q社と自社との違いがハイライトされます。

　この図を示して「他社は、より安い」と言うか、「自社は相対的に高

く売れている」と言うかは、伝えたいメッセージにもよりますが、自社だけのデータに比べ、メッセージをより伝えやすくなったと思いませんか？

比較する対象は、もちろん競合だけではありません。第1章でも紹介した、「時間軸」、「地域軸」、「カスタマー軸（年齢、性別、所得、業界、組織規模、嗜好など）」といった様々な軸で考えることができます。「時間軸」で見れば、昨年度比や前月比などが挙げられるでしょう。また、「地域軸」では、営業エリア間や、国別の比較などができるかもしれません。

共通の軸を用いて比較する

いずれの軸であっても覚えておきたいのは、比較するには、「比較可能な軸を用いる」ということです。図6-7でも、もし縦軸の単位をデータ数としてしまうと、自社とQ社の全体のサンプル数が異なれば、そもそも母数が違うため、その個数を単純比較しても意味がありませんね。そのため、全体の母数のうち、どの割合（％）の実績であるか、という共通軸に置き換えて比較しています。

発表者のアイデアとクリエイティビティ（創造性）によって、その見せ方は、何通りも考えられるはずです。ただし、あまり熱中して凝り過ぎると逆効果となることもお忘れなく。

最後にもう一度"仮説"に立ち返る

さて、長い分析作業の道のりも最終段階です。
ここまで、大きくは、次のプロセスを辿りました。
最初に仮説アプローチの話をしたことを覚えていますでしょうか？

（1）仮説に基づいて必要なデータを準備（序章、1章）
（2）分析手法を選んで、トライアンドエラーも含めて実行（2〜5章）
（3）分析結果を解釈（2〜5章）
（4）結論を的確に伝えるための表現方法を検討（6章）

　最後の段階で、（1）から（4）まで、目的（ゴール）をブラさずに一貫して進めてこられたか確認してみましょう。より簡単に言えば、**（4）の段階でのアウトプットが、（1）の段階で立てた仮説の答えになっているかどうか、**です。

　分析を行なっていると、無意識にこの軸がブレてきてしまうことがあります。最後のアウトプットそのものはロジカルではあるものの、最初の課題（仮説）と突き合わせてみると、必ずしも「課題」→「答え」になっていないケースも起こり得ます。そこで、最後のチェックを行ない、必要であれば、道を逸れてしまったところに立ち戻り、補強をしなくてはなりません。そうならないためにも、プロセスの途中でも、当初の目的や仮説を確認しながら進められると理想です。

コラム　パレート図で情報量を絞ろう

　たくさんのデータは入手できたものの、最終的に優先度や影響度の高いデータにスコープを絞るテクニックの1つを紹介します。

　たとえば、図6-8のように、A〜K部の経費使用実績データがあるとします。来年度、経費削減をするため、実績から無駄な部分を特定し、できるだけ大きな額の削減を実現したいと考えています。

　分析自体の効率性も当然ですが、相手に優先度の高い部分だけを見せるという目的においても、全ての部の詳細を1つ1つ精査すること（またはその結果を見せること）は必ずしも得策ではありません。

　そのようなときに活躍するのがパレート図と呼ばれる分析手法です。値の大きい順にデータを並び替え、必要と思われる範囲を絞って特定します。「値の大きい順」が「優先度や影響度の高い順」と一致することを前提として、「どうしてその範囲に絞ったのか」を客観的に示すことができるツールです。

　やっていることは、「大きい順に並べる」という非常に単純なことですが、「選択した理由を客観的に示せる」ことが、信頼性・納得性の面から、とても有効です。

　縦軸は、絶対値だけとは限りません。面積当たり、1人当たりなど、単位当たりでベースを揃えるほうが、より適切な比較ができる場合もあります。たとえば、圧倒的に従業員数の違う組織間で、経費の額そのものを並べて比較するのは意味がありませんね。その場合には、「従業員1人当たり」の経費に直して並べることが必要です。

パレート図を作成するには、図6-8のように、対象となるデータ（この場合、実績値）を大きい順に並べ替えます（Excelの「並べ替え」機能を使うと便利です）。その隣に各データの全体の中での割合を％で示し、順に積み上がった累積比率を出しておきます。

図6-8　パレート図を作る

	経費使用実績(万円)	比率(％)
A部	366	13.7%
B部	83	3.4%
C部	518	20.9%
D部	215	8.7%
E部	120	6.5%
F部	306	12.8%
G部	478	19.3%
H部	29	1.2%
I部	173	7.0%
J部	54	2.2%
K部	107	4.3%

値の大きい順に並べ替え

	経費使用実績(万円)	比率(％)	累積比率(％)
C部	518	20.9%	20.9%
G部	478	19.3%	40.3%
A部	366	13.7%	54.0%
F部	306	12.8%	66.8%
D部	215	8.7%	75.5%
I部	173	7.0%	82.5%
E部	120	6.5%	89.0%
K部	107	4.3%	93.3%
B部	83	3.4%	96.6%
J部	54	2.2%	98.8%
H部	29	1.2%	100.0%

　あとは、元のデータを棒グラフで、累積比率を折れ線グラフで表示すれば完成です。Excelでは、次の順番になります。

① 元のデータと累積比率を棒グラフで描いてから、累積比率のグラフを右クリックし、
② 「系列グラフの種類の変更」（もしくは「グラフの種類」）から折れ線グラフに変更します。

③さらに、変更した折れ線グラフの一部を右クリックし、
④「系列グラフの書式設定」から、第2軸を選択することで作成できます。

図6-9 できあがったパレート図

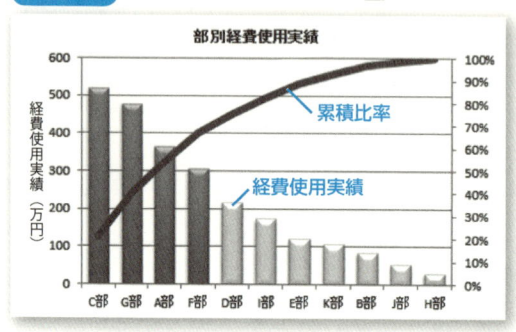

なぜ、累積比率が必要かと言うと、どこまでを分析や発表の対象範囲とするかを決める際の指針とします。この例では、上位60%を対象とすれば大きな削減効果が得られる（＝それ以外の実績が小さな部では、刈り取れる量もたかが知れている）という前提を置き、「F部までの上位4つの部を対象とする」という結論としました。

これにより、この4つの部を分析対象とし、「作業や発表の情報量のシンプル化」を実現することに成功しました。

エピローグ

　上司から、最終の"ＯＫ"をもらうまで、何度もやり直しを食らい、途中で何回も気力が途切れそうになったＡ君。
　なんとか、提出期限１日前に部長の承認をもらい、みんながすでに帰宅したあとの真っ暗なオフィスのＰＣから、メールで事務局へ企画のプレゼン資料を提出しました。

　あとから全体を再度冷静に眺めてみると、市場全体の話から始まり、個別の販売施策に至るまで、「大局から詳細へ」というスムーズかつ論理的な流れができていることに気付きました。

　Ａ君は、怒濤のように学び続けた日々からやっと解放されて安堵感と開放感を感じながらも、頭と体の疲れを感じずにはいられません。
　でもそれにも増して、数週間前にはできなかった、「数字を使った企画作成」に一歩前進できたことが何よりも自分の糧になったと心から思えるようになっていました。

　翌朝、メールを確認した上司がＡ君をねぎらいます。
上司　「Ａ君、提出のメール確認したよ。ご苦労さま」
Ａ君　「ありがとうございました。期限に間に合ってよかったです。正直あれで大丈夫なのか、まだ一抹の心配はありますけど」
上司　「そうだな。いつでも100％完璧な提案なんてないからな。俺だっていつも、不安のままプレゼンに臨むことだらけだからな」
Ａ君　「えっ？　そうなんですか？　いつも自信満々にプレゼンしているように見えていましたが……」
上司　「そりゃそうだ。態度も発表の重要な一要素。どれだけ自分を信

A君が作ったプレゼン資料

B国新規参入事業計画

201X-XX-XX

サマリー

(1) 結論
- B国への進出で、年間約38億円(±21%)の売上増
- 売上リスクを軽減する効果的な施策を特定
- 初年度予算前提クリア(NPVも5年でポジティブに)

(2) 提言
- B国への早期進出
- 来年度の予算へ必要経費を計上

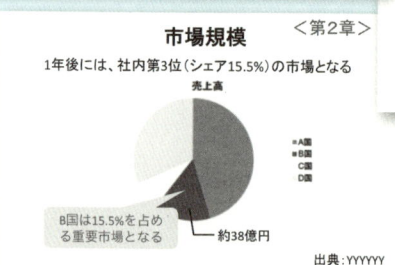

市場概要

若年層人口比率が高く、有望な成長市場である

- 人口：XX万人
- 年齢構成：-----
- GDP：$ XXX
- 所得分布：-----
- 文化、宗教：-----
- 購買特性：-----

年齢分布（Main target）
■0-10 ■15-20 ■21-30 ■31-40 ■41-50 ■50-

出典：YYYYY

市場規模　＜第2章＞

1年後には、社内第3位（シェア15.5%）の市場となる

売上高
■A国 ■B国 ■C国 ■D国

B国は15.5%を占める重要市場となる
約38億円

出典：YYYYY

価格戦略および販売計画　＜第3章＞

売上変動リスクは上下約21%の見込み

年間売上額（想定）：約38億円
リスク範囲：約30 ～ 約46億円

(億円)	1年目	2年目	3年目	4年目	5年目
売上	35.7	37.1	38.0	38.5	40.0

出典：YYYYY

販売施策および支出計画　＜第4,5章＞

効果的な2つの販売施策を特定

(MJPY)	Q1	Q2	Q3	Q4	Q1	Q2	Q3	Q4
ローカルTVコマーシャル	10.1	9.8	8.9	8.5	8.2	7.8	6.5	
ディスカウントチケット	6.8	7.0	7.5	8.1	5.4	5.7	5.0	4.5

出典：YYYYY

収益計画

5年でNPVはポジティブに反転

想定年間収益：約6億円（初年度）、約9億円（2年目以降）

(億円)	1年目	2年目	3年目	4年目	5年目
営業利益	5.9	8.0	9.4	11.2	14.0

・初年度予算前提クリア

出典：YYYYY

まとめ

- B国への進出で、年間約38億円(±21%)の売上増
- 売上リスクを軽減する効果的な施策を特定
- 初年度予算前提クリア(NPVも5年でポジティブに)

NEXT STEP

(i) 現地販売パートナーとの契約
(ii) 販売員教育の実施
(iii) より詳細な市場調査開始

じられるかもプレゼンの質の1つだし、発表者の力量の1つだと思っているよ」
A君 「今回は、色々と勉強になりました。最初『統計』って聞いたときには、何か使い方や理屈を習得さえすれば、だれでも同じような答えが簡単にバンバン出せるもののように思っていました。でも、データ分析って、決まった答えがあるわけでもなく、こんなにもクリエイティブな部分が多いのだと、初めて知りました」
上司 「よく頑張ったと思うよ。でも今回のアプローチだけが唯一絶対の方法ではないからな。これからも人のアウトプットを見たり、自分で試行錯誤しながら、もっともっと腕を磨いていってくれ。それから、今後のためにも企画の最初の段階に戻って、どういう仮説を立てておけば、もっとスムーズにできたか考えてごらん。今回のポイントを再度確認できれば、きっと次の企画課題では、もっと効果的、効率的にできるようになると思うよ」
A君 「はい。頑張ります」

　A君は、早速自分のノートを開き、今回進めてきた手順を振り返り、ストラクチャ（204ページ参照）を描いてみました。
A君 「なるほど。まとめてみると、今回の理論の構造がよく見えるな」
と、そこへ、何か思い出したように、上司が戻ってきました。
上司 「あっ、そうそう。大事なことを言い忘れてた。さっき部長とも話したんだが、今回のプレゼン、A君にやってもらうと決めたから。当日までにしっかりと練習しておくように」

　全く想定していなかった展開に絶句するA君。先ほどまで感じていた疲れはどこかへ吹き飛び、今度は体中が新たな緊張感と焦りでいっぱいになってきました。

今回の分析のストラクチャ

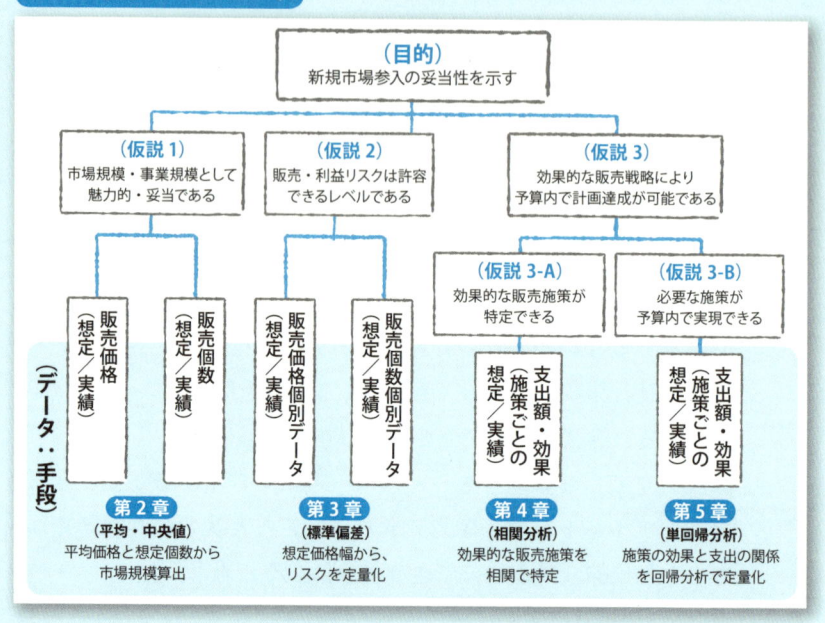

```
                        （目的）
                新規市場参入の妥当性を示す
        ┌──────────────┼──────────────┐
     （仮説1）        （仮説2）        （仮説3）
  市場規模・事業規模として 販売・利益リスクは許容  効果的な販売戦略により
     魅力的・妥当である   できるレベルである    予算内で計画達成が可能である
      ┌─────┐       ┌─────┐         ┌──────┐
                                    （仮説3-A）   （仮説3-B）
                                  効果的な販売施策が 必要な施策が
                                   特定できる    予算内で実現できる
```

	販売価格(想定/実績)	販売個数(想定/実績)	販売価格個別データ(想定/実績)	販売個数個別データ(想定/実績)	支出額・効果(施策ごとの想定/実績)	支出額・効果(施策ごとの想定/実績)
(データ∴手段)						

第2章	第3章	第4章	第5章
（平均・中央値）	（標準偏差）	（相関分析）	（単回帰分析）
平均価格と想定個数から市場規模算出	想定価格幅から、リスクを定量化	効果的な販売施策を相関で特定	施策の効果と支出の関係を回帰分析で定量化

上司　「そのプレゼンには役員も参加するらしい。事業企画の分野なので、外国人の役員が数名入るらしいから、資料も発表も英語で行なうように、とのことだ。しっかり頼むぞ！　わが社はグローバル企業なんだから、もうそれは当り前の世界だよな」

A君　「……」

　分析のハードル以上のダブルパンチを同時に受けたA君。

　緊張感で押しつぶされそうになりながらも、数字と英語による的確なメッセージを武器に、外国人役員に全力でぶつかる覚悟をしたのでした。

　頑張れ！　A君。

おわりに

　データ分析や統計手法を用いた事業計画作りは、いかがでしたでしょうか？「統計」という言葉に距離感を持っていた人にも、身近なデータで、気軽に自分の仕事に応用できることを感じていただけたでしょうか。

　本書は、数ある統計手法の中から、実務に広く応用の効く手法に特化してご紹介しました。ストーリー（計画）作りの中にそれらをどう組み込むかの一事例を紹介することで、各手法の強み・弱み、そして実務へ応用する考え方をお伝えすることを目指しています。個別の分析手法を単独で使うケースもたくさんありますが、各手法の限界をお互いに補完し、強みを選択的に利用することで、1つのストーリー（主張）を効果的にサポートできることを感じていただけたら幸いです。

　データ分析や統計には、常に絶対的な答えが1つあるわけではなく、分析者のクリエイティブな要素が大きいことも、本書を通じてお伝えしたかったことです。
　私は、この点は英会話に似ていると感じています。いくら英文法や英単語を十二分に理解し、記憶していても、最後に文章として表現する段階では、その人がどうアウトプットをクリエイトするか、に委ねられます。また、絶対的に正解である表現があるわけではなく、様々な表現方法があり、ゴールは「相手にメッセージが伝わること」である部分も全く同じです。英語もデータ分析も、何度も試行錯誤しながら、経験を積むことで、どんどん上達していきます。
　とはいえ、最初はベースとなる最低限の知識やスキルがないと、スタートラインにも立てないことがあるでしょう。データ分析には、英会話における翻訳機に相当するものはありません。その意味で、本書はそのスタートラインに必要とされる内容と、今後、効果的、効率的に経験を積むためのヒントとしてお役に立てるのではないでしょうか。

実務の現場では、提案の内容が革新的で、組織への影響が大きいほど、「データ分析による客観的な提案」だけでは突破できない状況が多いのも事実です。私も何度も経験がありますが、人は必ずしも、理屈だけでは動かないからです。でもそれは「理屈が必要ない」ということにはなりません。

　理屈は徹底的に掘り下げた上で、さらに人の非合理さ（詳しくは拙著『人は勘定より感情で決める』〈技術評論社〉をご参照ください）を知り、誤解なく、効果的に相手に伝える工夫ができれば、鬼に金棒でしょう。

　ビジネスの現場が、ますますグローバル化され、日本人とは価値観や発想が違う人々と働く可能性は増え続けています。

　しかし、そのような環境で、"数字"は共通の言語となって、極めて強い力を発揮します。

　私自身、自分の業務においてCEOを最終の受け手とする役員提案を数多く企画してきました。多数の経営案件を即座に判断する必要があるCEOや役員レベルの受け手に、いかに要点をシンプルに説得力をもって伝え、答えを引き出すかということに、いつも苦心しています。毎回テーマや周辺状況、前提は異なり、その中で、受け手側のことを考えながら最適解を見つけなくてはならないからです。

　でも、その中でも共通して効果的なアプローチやツールがあることも事実です。本書で紹介したものは、その根幹の1つとも言えるでしょう。

　実際、「数字を見せれば一発で伝わる」ことに助けられたことは一度や二度ではありません。本書を読まれたみなさまにも、ぜひこれを機会に、「数字に強い」ビジネスパーソンになっていただければと思います。

　最後に、この本を書く機会をいただいた日本実業出版社の多根由希絵さんありがとうございました。そして、この本を両親と、妻明子、大好きな優基、朋佳にも感謝の気持ちとともにプレゼントしたいと思います。

2013年4月　柏木吉基

柏木吉基（かしわぎ　よしき）

データ＆ストーリーLLC代表。慶應義塾大学理工学部卒業後、日立製作所入社。米ゴイズエタ・ビジネススクールでMBA（経営学修士）取得。2004年に日産自動車入社。海外マーケティング＆セールス部門、組織開発部ビジネス改革チームマネージャーなどを歴任。データを駆使し、「新規ビジネス戦略策定」や「グローバルでの業務プロセスの分析・評価・改善」など多数のプロジェクトをリード。これらの経験と実績を生かし、2014年10月に「仕事の成果」に直結する課題解決・実務データ分析トレーナーとして独立。実務家ならではの視点で、課題解決に結びつく実践的でわかりやすいセミナーには定評がある。多摩大学大学院ビジネススクール客員教授、横浜国立大学と亜細亜大学非常勤講師も務める。

データ＆ストーリーLLC（www.data-story.net）

「それ、根拠あるの？」と言わせない データ・統計分析ができる本

2013年5月20日　初版発行
2016年6月20日　第10刷発行

著　者　柏木吉基　©Y.Kashiwagi 2013
発行者　吉田啓二
発行所　株式会社 日本実業出版社　東京都文京区本郷3－2－12 〒113-0033
　　　　　　　　　　　　　　　　　大阪市北区西天満6－8－1 〒530-0047
　　　　編集部　☎03－3814－5651
　　　　営業部　☎03－3814－5161　振替　00170－1－25349
　　　　　　　　　　　　　　　　　　　　http://www.njg.co.jp/

印刷／壮光舎　　製本／若林製本

この本の内容についてのお問合せは、書面かFAX（03-3818-2723）にてお願い致します。
落丁・乱丁本は、送料小社負担にて、お取り替え致します。
ISBN 978-4-534-05072-4　Printed in JAPAN

日本実業出版社の本

Excelでスッキリわかる
ベイズ統計入門

涌井良幸・涌井貞美共著
定価 本体2200円（税別）

数学が苦手な人や統計学を初めて学ぶ人でも安心の、ベイズ統計入門書の決定版。「ベイズ統計」の基礎から応用を、身近な例題からわかりやすく解説。

3分でわかる
ロジカル・シンキングの基本

大石哲之著
定価 本体1400円（税別）

MECE、ピラミッド・ストラクチャー、仮説思考、フェルミ推定、イシュー・ツリーが1項目3分で手軽にわかる。仕事に役立つ「考える技術」が身につく入門書。

この1冊ですべてわかる
マーケティングの基本

安原智樹著
定価 本体1500円（税別）

マーケティング業務の流れと、各手法の勘所をまとめた1冊。新製品開発から既存商品育成、企業を横断した実務の進め方をまとめて解説。

51の質問に答えるだけですぐできる
「事業計画書」のつくり方

原　尚美著
定価 本体1600円（税別）

事業に必要なことに関する51の質問に答えるだけで、事業計画書がつくれます！事業計画書、利益計画書、資金計画等のフォーマットもダウンロード可能です。

定価変更の場合はご了承ください。